RECETTES

FAIT
MAISON

70 recettes exotiques et parfumées,
élaborées avec amour,
pour faire voyager vos papilles.

CUISINE
CRÉOLE

RECETTES
FAIT MAISON

70 recettes exotiques et parfumées,
élaborées avec amour,
pour faire voyager vos papilles.

CUISINE CRÉOLE

Made by · Made by · Made by · Made by · Made by · Made by

SUZY
PALATIN

hachette
CUISINE

Photographies : Frédéric Lucano
Stylisme : Sonia Lucano

SOMMAIRE

1

2

3

4

5

6

7

8

9

10

11

PLATS

1

2

3

4

5

6

7

8

9

10

11

12

13

14

15

16 17 18 19 20
21 22 23 24 25
26 27 28 29 30
31 32 33 34 35

DESSERTS

BOISSONS

INTRODUCTION

Ah, la cuisine créole ! Elle ne laisse personne indifférent. Ses saveurs épicées savamment dosées sont un véritable ravissement pour le palais, et vous aimeriez pouvoir la déguster à loisir. Seulement voilà, comme beaucoup, vous pensez que toutes ces préparations sont bien trop complexes pour pouvoir entrer dans votre cahier de recettes familiales. Oubliez dès maintenant tout ce que vous avez pu entendre de négatif sur la cuisine créole. Ne retenez qu'une seule chose : elle est délicieuse !

Comme toutes les cuisines, elle comporte des recettes simples et rapides, et d'autres qui exigent une préparation plus longue et un peu plus d'attention. Croyez-moi, point n'est besoin d'être un expert, suivez tout simplement les recettes de ce livre, elles sont inratables ! Vous ferez sensation en mettant à votre table de merveilleux plats créoles pour vos dîners en famille, entre amis ou encore pour vos réceptions lors de grandes occasions. Vous pourrez même improviser des repas à la dernière minute, car de nombreux produits créoles sont aujourd'hui disponibles en grande surface.

Pour que certains plats gardent toute leur typicité, vous aurez recours aux épiceries spécialisées mais vous ne serez jamais pris au dépourvu, puisque vous aurez toujours en réserve du lait de coco, de la poudre à colombo, de la cannelle, de la vanille et de la muscade. Dans votre réfrigérateur, vous ferez une place pour le gingembre, la sauce antillaise et le piment confit ! Vous congèlerez vos cives et vos piments antillais. Quel expert vous êtes déjà !

La cuisine créole est un héritage, un patrimoine ancestral qui témoigne de l'inventivité des femmes qui ont accouché d'une cuisine chargée d'histoire et qui l'ont rendue, avec ténacité et amour, synonyme de douceur de vivre. Je vous fais confiance, vous saurez, comme bien d'autres cuisinières créoles, passer le témoin et transmettre cette cuisine riche et généreuse qui mérite d'être connue dans toute son étendue.

À vos faitouts !

CE QU'IL VOUS FAUT

INGRÉDIENTS DE BASE

LÉGUMES

- Avocat
- Banane plantain
- Banane verte
  (ti-nain, pòyò)
- Bélangère (aubergine)
- Fruit à pain
- Gombo
- Igname
- Patate douce
- Pois-congo ou pois d'angole

FRUITS

- Ananas
- Banane
- Christophine (chayotte)
- Citron
- Citron vert
- Corossol
- Fruit de la Passion
- Goyave
- Litchi
- Mangue mûre
- Mangue verte
- Noix de coco
- Papaye

ÉPICES ET AROMATES

- Baies de genièvre
- Baies roses
- Cannelle
- Citronnelle
- Cives (ou ciboules)
- Clou de girofle
- Colombo
- Curry
- Gingembre
- Laurier
- Noix muscade
- Persil
- Piment antillais
- Piment de Cayenne
- Piment Jamaïque
- Poivre noir en grains
- Thym
- Vanille

DIVERS

- Beurre rouge
- Lambis
- Haricots rouges
- Huile de roucou
- Lait de coco
- Lentilles corail
- Rhum
- Riz basmati
- Riz rond

MATÉRIEL

LES INCONTOURNABLES

- Balance alimentaire
- Cocotte
- Friteuse
- Gants en plastique
  jetables (pour manipuler
  les piments)
- Robot mixeur

PETIT MATÉRIEL

- Casseroles
- Ciseaux à volaille
- Ciseaux de cuisine
- Couteaux affûtés
  pour le travail
- Écumoire
- Fouet à main
- Fouet électrique
- Mandoline
- Marmite
- Marteau (pour casser
  les noix de coco)
- Moulin à légumes
- Passoire
- Pinceau de cuisine
- Poêles
- Presse-ail
- Presse-citron
- Râpe
- Rouleau à pâtisserie
- Tamis

PAS
À PAS

SAUCE CHIEN

[4] **PRÉPARATION** **15 min** | **RÉFRIGÉRATION** **1 h** | **MATÉRIEL**
Gants en plastique jetables • Presse-citron • Papier absorbant

INGRÉDIENTS

10 cives ou ciboules • ¼ de piment antillais • 2 citrons verts • 3 pincées de sel fin • 1 cuil. à café de poivre noir moulu • 3 belles gousses d'ail • 20 cl d'huile d'arachide ordinaire

1. Épluchez les cives avec leurs fanes vertes, lavez-les, séchez-les dans le papier absorbant et hachez-les très finement. Réservez. Enfilez les gants avant de trancher le pédoncule du piment. Ouvrez-le et épépinez-le. Prélevez un quart du piment et hachez-le menu.

2. Préparez la sauce chien : pressez les citrons verts et récupérez-en la pulpe. Dans un bol, mélangez le jus et la pulpe des citrons ; ajoutez le sel, le poivre, l'ail écrasé, le piment haché, en goûtant au fur et à mesure pour doser la force de la sauce.

3. Ajoutez enfin l'huile d'arachide, fouettez la sauce puis versez 1 louche d'eau bouillante sur celle-ci. Laissez refroidir la sauce à température ambiante. Mettez-la au réfrigérateur 1 h avant de servir.

CONSEIL

Cette sauce accompagne à merveille les grillades.

RIZ CRÉOLE

PRÉPARATION
10 min

REPOS
20 min

MATÉRIEL
Casserole

INGRÉDIENTS

300 g de riz basmati

1. Lavez le riz plusieurs fois, jusqu'à ce que vous obteniez une eau parfaitement claire. Comptez 2 volumes d'eau pour 1 volume de riz basmati. Égouttez.

2. Versez le riz dans la casserole, couvrez-le de 60 cl d'eau. Portez à ébullition, réduisez le feu puis laissez cuire, à feu moyen, pendant 20 min.

3. Détachez les grains de riz à l'aide d'une fourchette et présentez le riz dans un joli saladier.

CONSEIL
Le riz créole accompagne délicieusement les viandes, les volailles et les poissons.

VARIANTE
Vous pouvez faire cuire le riz au micro-ondes : mettez le riz et l'eau dans un récipient allant au micro-ondes et faites-le cuire 20 min à pleine puissance. Pas de surveillance, pas de casserole à laver, pas de riz brûlé, bref la liberté totale pour le même résultat... régalez-vous !

1

2

3

PÂTE À DOMBRÉS

650g DE PÂTE

PRÉPARATION
10 min

CUISSON
12 à 20 min

MATÉRIEL
Ciseaux de cuisine

INGRÉDIENTS

400 g de farine + farine pour le plan de travail • 1 cuil. à café d'huile d'olive • Sel

1. Mettez la farine et l'huile dans un saladier et versez 25 cl d'eau salée avec 2 pincées de sel. Mélangez rapidement le tout, vous obtiendrez une pâte souple qui colle un peu aux doigts, c'est normal.

2. Farinez largement le plan de travail. Prélevez des morceaux de pâte, farinez-les et façonnez, sur le plan de travail, des boudins de 1 à 2 cm de diamètre selon la grosseur souhaitée. Ne travaillez pas trop la pâte, sinon les dombrés seront trop durs.

3. À l'aide des ciseaux de cuisine, détaillez les boudins de pâte en petits tronçons et voilà, le tour est joué !

4. Faites cuire les dombrés dans une eau bouillante salée avec 2 pincées de sel. Comptez entre 12 et 20 min de cuisson selon leur taille.

CONSEILS

Vous pouvez consommer les dombrés comme des pâtes avec différentes sauces ou vous référer à la recette p. 68.

PÂTE À BOKITS

8 BOKITS

PRÉPARATION
20 min

CUISSON
30 min

REPOS
2 h

MATÉRIEL
Friteuse • Papier absorbant

INGRÉDIENTS

300 g de farine • ½ cuil. à café de bicarbonate de soude • Sel • 1 litre d'huile pour friture

1. Salez 15 cl d'eau. Mélangez la farine avec le bicarbonate de soude, et tamisez-la au-dessus d'un grand saladier. Ménagez un puits au centre et versez-y l'eau salée. Mélangez de façon à obtenir une pâte souple. Laissez reposer cette pâte au frais pendant 2 h.

2. Fractionnez la pâte en 8 portions égales. Aplatissez ces portions de pâte dans vos mains, de façon à obtenir des disques d'environ 8 cm de diamètre.

3. Faites chauffer l'huile pour friture à 170 °C. Plongez-y les bokits pendant 8 min. Sortez-les, épongez-les bien avec le papier absorbant.

CONSEIL

Vous pouvez déguster les bokits nature ou les garnir de poisson, de légumes, ou même de confiture. Eh oui, vous pouvez faire de petits bokits sucrés !

ENTRÉES

ACRAS DE MORUE

 PRÉPARATION **30 min** | **CUISSON** **35 min** | **REPOS DE LA PÂTE** **1 h**

MATÉRIEL

Casserole • Passoire • Gants en plastique jetables • Mixeur • Friteuse • Papier absorbant

INGRÉDIENTS

200 g de morue salée et séchée • 20 g de levure de boulanger fraîche • 3 cuil. à soupe de lait • ½ botte de persil plat • ⅛ de piment antillais • 3 cives (ciboules) • 2 gousses d'ail • 100 g de farine • 1 œuf • Le jus de ½ citron vert • 50 cl d'huile pour friture

1. Portez une casserole d'eau à ébullition et faites pocher la morue dans l'eau juste frémissante pendant 5 min. Répétez cette opération deux fois afin de dessaler la morue. Mettez-la dans la passoire et rincez-la à l'eau froide. Retirez la peau et les arêtes ; réservez.

2. Émiettez la levure dans le lait tiède. Lavez, séchez et hachez le persil. Enfilez les gants avant de trancher le pédoncule du piment. Ouvrez-le et ôtez les petites graines qui sont à l'intérieur. Prélevez un huitième du piment et hachez-le. Ciselez très finement les cives. Épluchez les gousses d'ail.

3. Dans le bol du mixeur, mettez la farine, la morue « effeuillée », la levure délayée, l'œuf, l'ail et le jus de citron. Mixez rapidement en versant par le goulot 10 cl d'eau. La pâte ne doit être ni trop ferme, ni trop liquide. Corrigez sa consistance soit avec de l'eau, soit avec de la farine. Retirez la pâte du robot, incorporez-y les cives, le piment et le persil. Laissez reposer la pâte pendant environ 1 h.

4. Faites chauffer l'huile pour friture à 170 °C. À l'aide de 2 cuillères à café, prélevez des portions de pâte et faites-les glisser dans l'huile ; faites-les frire 2 à 3 min environ. Égouttez les acras sur le papier absorbant et servez très chaud.

CHIQUETAILLE DE MORUE

| DESSALAGE 24 h | PRÉPARATION 35 min | POCHAGE 10 min | MATÉRIEL Casserole • Passoire • Presse-ail • Gants en plastique jetables pour manipuler le piment |

INGRÉDIENTS

600 g de morue salée et séchée • 2 gros oignons • 6 gousses d'ail • ½ botte de persil plat • ¼ de piment antillais • 1 citron vert • 15 cl d'huile • 3 cuil. à soupe de vinaigre blanc • Sel

1. La veille : immergez la morue dans un grand saladier rempli d'eau froide. Laissez-la dessaler 24 h en changeant l'eau plusieurs fois. Si vous ne pouvez faire tremper la morue la veille, procédez comme suit : placez la morue dans une grande casserole d'eau froide. Portez le tout à frémissement, baissez le feu (ou mieux éteignez-le) et laissez pocher 5 min. Répétez l'opération deux fois encore, en commençant toujours avec une eau froide. La morue est dessalée. Attention : ne laissez jamais bouillir l'eau, car elle fixerait le sel et durcirait la morue.

2. Le jour même : mettez la morue dans une casserole d'eau froide et amenez à la limite de l'ébullition. Faites pocher à petits frémissements pendant une dizaine de minutes.

3. Mettez la morue dans une passoire, rincez-la à l'eau froide. Enlevez peau et arêtes, pressez la morue entre vos mains pour éliminer l'excédent d'eau, puis émiettez-la dans un saladier.

4. Pelez les oignons et l'ail. Lavez et épongez le persil. Écrasez l'ail au presse-ail, hachez finement les oignons, le persil et le quart de piment. Mélangez le tout à la morue émiettée. Pressez le citron vert au-dessus du saladier, mélangez de nouveau et réservez.

5. Préparez la vinaigrette : mélangez simplement l'huile et le vinaigre blanc, et réservez. Au moment de servir, versez la vinaigrette ainsi préparée dans le saladier et mélangez-la intimement à la morue. Goûtez et rectifiez, au besoin, l'assaisonnement en sel.

CONSEILS

Servez cette chiquetaille de morue en entrée avec du pain, ou en plat principal avec des patates douces, des bananes plantain, des ignames ou des légumes verts… La chiquetaille de morue se fait en général avec beaucoup d'huile. Pour éviter de trop en mettre, mélangez la vinaigrette et la morue au dernier moment.

BOKITS
AU POULET FUMÉ

 PRÉPARATION **CUISSON**
30 min | **20 min** |

MATÉRIEL

Gants en plastique jetables pour manipuler le piment • Presse-citron

INGRÉDIENTS

1 poulet fumé d'environ 1 kg, coupé en quatre • 3 oignons • 2 gousses d'ail • 3 citrons verts • 1 petit bouquet de persil plat • ¼ de piment antillais • 1 avocat • 6 cuil. à soupe d'huile • Sel, poivre **Pour les bokits :** Voir la recette page 17.

1. Faites chauffer le poulet durant 20 min dans un four préchauffé à 180 °C (th. 6). Pendant ce temps, pelez les oignons et l'ail, et hachez-le tout très finement ainsi que le quart de piment et le persil préalablement lavé.

2. Préparez la sauce : dans un bol, versez le jus de 2 citrons verts et l'huile. Ajoutez tous les aromates précédemment hachés dans le bol. Salez et poivrez à votre convenance, et fouettez le tout énergiquement.

3. Retirez le poulet du four, laissez-le tiédir, débarrassez-le de sa peau et émiettez la chair dans un saladier. Mélangez soigneusement le poulet émietté à la sauce.

4. Pelez et dénoyautez l'avocat, découpez-le en tranches et arrosez-le de jus citron pour éviter qu'il ne noircisse. Garnissez les bokits avec la préparation au poulet et des tranches d'avocat. Dégustez.

FÉROCE D'AVOCAT

PRÉPARATION
25 min

DESSALAGE
24 h

POCHAGE
10 min

MATÉRIEL

Casserole • Passoire • Mixeur • Presse-citron • Gants en plastique jetables pour manipuler le piment

INGRÉDIENTS

300 g de morue salée séchée • 1 gros avocat • 2 citrons verts • 1 gros oignon • 4 gousses d'ail • ¼ de piment antillais • 5 cl d'huile d'arachide • 3 cuil. à soupe de farine de manioc granuleuse • Sel

1. La veille : immergez la morue dans un grand saladier rempli d'eau froide. Laissez-la dessaler 24 h en changeant l'eau deux ou trois fois. Si vous ne pouvez dessaler la morue la veille, plongez-la dans une casserole d'eau froide. Amenez l'eau à frémissement et faites pocher la morue pendant 2 à 3 min. Répétez cette opération deux fois, cela vous permettra de cuire la morue et de la dessaler en même temps. Ne laissez surtout pas bouillir l'eau, car elle fixerait le sel dans la chair du poisson.

2. Le jour même : mettez la morue dans une casserole d'eau froide et amenez à la limite de l'ébullition. Faites pocher dans l'eau à peine frémissante pendant 10 min, puis mettez la morue dans la passoire et rincez-la sous l'eau froide. Retirez peau et arêtes, pressez la morue entre vos mains pour éliminer l'excédent d'eau, puis émiettez-la bien. Réservez.

3. Coupez l'avocat en deux, ôtez-en le noyau et évidez-le. Mettez la chair dans le bol du mixeur. Pressez les citrons verts et versez le jus dans le bol du mixeur. Ajoutez ensuite l'oignon épluché et coupé en morceaux, les gousses d'ail pelées, le quart de piment et l'huile. Ajoutez enfin la morue. Mixez le tout jusqu'à ce que vous obteniez une pâte homogène et fine.

4. Mettez la préparation obtenue dans une jatte, ajoutez la farine de manioc. Mélangez. Vérifiez l'assaisonnement ; ajoutez du sel si nécessaire. Mélangez bien, puis conservez au réfrigérateur jusqu'au service. Accompagnez le féroce d'avocat froid de tranches de pain et d'une salade de concombre.

OMELETTE CRÉOLE AUX CIVES

PRÉPARATION
15 min

CUISSON
15 min

MATÉRIEL

Poêle • Papier absorbant • Écumoire

INGRÉDIENTS

1 blanc de poireau • 1 botte de cives (ciboules) • 3 cuil. à soupe d'huile • 12 œufs •
1 pointe de couteau de piment de Cayenne • 1 pincée de poivre moulu • 2 pincées de sel

1. Lavez le blanc de poireau, éliminez-en les radicelles en le coupant à ras et émincez-le très finement. Pelez les cives, lavez-les, séchez-les soigneusement dans le papier absorbant puis émincez-les très finement.

2. Mettez les cives et le blanc de poireau émincés dans la poêle avec l'huile et faites-les revenir, à feu doux, jusqu'à ce qu'ils deviennent translucides. Remuez-les de temps à autre à l'aide d'une cuillère de bois, sans les laisser dorer. Au bout de à 6 min de cuisson, retirez les cives et le poireau à l'aide de l'écumoire. Réservez.

3. Battez les œufs avec le sel, le piment et le poivre. Augmentez le feu et versez les œufs battus dans la poêle. Soulevez les œufs au fur et à mesure qu'ils cuisent et réduisez le feu alors qu'ils sont encore un peu liquides. Ajoutez la préparation de poireau aux cives sur l'omelette et poursuivez la cuisson à feu doux. Dès que vous avez obtenu la cuisson souhaitée, repliez l'omelette et servez-la aussitôt avec du bon pain.

CONSEIL

Si vous aimez l'omelette baveuse, après avoir ajouté la préparation de poireau aux cives, arrêtez la cuisson dès que les œufs sont très crémeux. Ils continueront à cuire un peu hors du feu et seront parfaits dans l'assiette.

RÖSTIS CRÉOLES

6 RÖSTIS

PRÉPARATION
25 min

CUISSON
45 min

MATÉRIEL

Casserole • Passoire • Poêles • Râpe à gros trous • Papier absorbant

INGRÉDIENTS

600 g de fruits à pain • 2 oignons • 200 g de lardons • 1 œuf • 2 cuil. à soupe d'huile + huile pour friture • Sel, poivre

1. La veille : coupez les fruits à pain en quartiers, pelez-les et ôtez la partie spongieuse du centre. Portez à ébullition une casserole d'eau salée, plongez-y les quartiers de fruits à pain et faites-les bouillir 20 min. Mettez-les dans la passoire et laissez-les ainsi jusqu'au lendemain.

2. Le jour même : à l'aide de la râpe à gros trous, râpez les fruits à pain au-dessus d'une jatte. Pelez et hachez les oignons.

3. Faites chauffer l'huile dans une poêle et faites-y revenir les oignons et les lardons pendant 10 min, en remuant de temps en temps. Égouttez le tout soigneusement.

4. Ajoutez dans la jatte les oignons, les lardons et l'œuf battu en omelette. Poivrez, mais salez peu à cause des lardons. Mélangez le tout. Formez les röstis en prélevant un sixième de la pâte que vous aplatirez entre les paumes de vos mains.

5. Mettez l'huile pour friture à chauffer dans une poêle et faites cuire les röstis 2 min de chaque côté. Égouttez sur le papier absorbant et servez chaud.

SALADE DE LANGOUSTE

PRÉPARATION
30 min

CUISSON
12 min

MATÉRIEL

Marmite • Passoire • Ciseaux pointus • Presse-citron • Râpe

INGRÉDIENTS

1 langouste de 1,5 kg • La moitié d'une salade romaine • 100 g de pousses d'épinard • 100 g de roquette • 4 brins de coriandre fraîche • ½ citron vert • 1 tronçon de gingembre frais de 3 cm • 1 cuil. à soupe de vinaigre de canne • 5 cl d'huile d'olive • Sel, poivre

1. Portez à ébullition une marmite d'eau salée. Plongez la langouste dans l'eau et comptez 12 min de cuisson sans attendre la reprise de l'ébullition.

2. Égouttez la langouste et laissez-la refroidir un peu pour faciliter la manipulation. Fendez le dessus de la queue avec les ciseaux pointus et retirez la queue de la carapace en un seul morceau ; détaillez la chair en médaillons.

3. Lavez et essorez les salades. Disposez-les dans un saladier. Lavez et épongez la coriandre. Pressez le demi-citron vert.

4. Préparez la vinaigrette : dans un bol, mélangez au fouet le vinaigre de canne, le jus de citron, du sel et du poivre, ajoutez l'huile d'olive en dernier. Pelez le tronçon de gingembre et râpez-le finement au-dessus du bol ; mélangez.

5. Disposez les médaillons de langouste sur les salades, effeuillez la coriandre et parsemez-en la salade. Arrosez de la vinaigrette et mélangez à table, devant les convives.

SALADE DE PAPAYES VERTES

 **PRÉPARATION 10 min**

MATÉRIEL

Couteau économe

INGRÉDIENTS

800 g de papayes vertes • Le jus de ½ citron vert • 1 pincée de sel • 1 piment oiseau (facultatif)

1. Coupez les papayes en deux, épépinez-les et pelez-les à l'aide de l'économe. Faites ensuite de longues lanières de papaye, toujours en vous aidant de l'économe.

2. Déposez les lanières de papaye dans un saladier, arrosez-les du jus de citron vert, ajoutez la pincée de sel et, pour les téméraires, le piment oiseau haché. Mélangez et servez.

CONSEIL

Pas d'huile dans cette salade, comme au temps jadis...
Cette salade est simple et délicieuse, et c'est le goût de la papaye qui prime.

SOUPE D'ÉPINARDS AU LAIT DE COCO

 **PRÉPARATION** **25 min** | **CUISSON** **45 min** |

MATÉRIEL
Marmites • Mixeur • Tamis fin

INGRÉDIENTS
3 crabes étrilles • 1 kg d'épinards en branches • 1 boîte de lait de coco de 40 cl • 1 piment antillais • 1 échalote • ½ cuil. à café de poivre noir en grains • Sel, poivre

1. Brossez les étrilles sous l'eau courante. Dans une marmite, portez à ébullition 1,5 litre d'eau salée additionnée des grains de poivre, plongez-y les étrilles et faites-les cuire pendant 15 min.

2. Retirez les étrilles de l'eau et laissez-les tiédir. Filtrez bien l'eau de cuisson et réservez-la.

3. Mettez les étrilles dans le bol du robot avec quelques cuillerées de l'eau de cuisson. Mixez jusqu'à ce qu'elles soient finement broyées. Passez-les au tamis fin au-dessus d'une marmite. Versez le reste de l'eau de cuisson et portez à ébullition.

4. Lavez et équeutez les épinards et ajoutez-les dans la marmite, ainsi que l'échalote pelée et émincée. Faites cuire 15 min.

5. Mixez au robot (ou au mixeur plongeant) jusqu'à l'obtention d'un mélange homogène et fluide, transvasez dans la marmite. Versez le lait de coco, salez et rectifiez au besoin l'assaisonnement en poivre. Ajoutez le piment antillais tel quel et laissez mijoter pendant 15 min.

6. Retirez le piment et versez la préparation dans une soupière. Servez nature ou accompagné de toasts légèrement grillés.

CONSEILS
Le piment doit être parfaitement intact, sinon il rendrait la soupe trop piquante. Si vous n'avez pas de piment entier, n'utilisez qu'un huitième de piment. Cette soupe doit avoir le parfum du piment et non toute sa force.

SOUSKAY
DE MANGUES VERTES

PRÉPARATION
10 min

MARINADE
1 h

MATÉRIEL
Papier absorbant • Gants en plastique jetables pour manipuler le piment

INGRÉDIENTS
1 oignon • 2 cives • 1 branche de persil • 4 mangues vertes • ¼ de piment antillais tel quel •
Le jus de 1 citron vert • 2 cuil. à soupe d'huile d'arachide • Sel

1. Pelez l'oignon et les cives. Lavez-les, puis séchez-les dans du papier absorbant et ciselez-les finement. Lavez le persil, épongez-le également dans le papier absorbant. Effeuillez-le, hachez-le grossièrement et réservez.

2. Pelez les mangues, récupérez toute la chair autour des noyaux et taillez-la en petits cubes ou en bâtonnets. Mettez-les au fur et mesure dans un saladier. Salez à votre convenance.

3. Réservez la moitié du persil haché. Ajoutez l'autre moitié ainsi que tous les autres ingrédients dans le saladier. Arrosez de jus de citron vert et laissez mariner au frais pendant 1 h. Au moment de servir, parsemez la souskay du reste de hachis de persil. Servez à l'apéritif.

TERRINE DE FOIE GRAS AUX MANGUES DE MIREILLE

 PRÉPARATION
20 min

CUISSON
5 min

REFROIDISSEMENT
12 h

MATÉRIEL
Terrine rectangulaire de 18 cm de long et d'une capacité de 600 g env. • Casserole

INGRÉDIENTS
3 paquets de gelée au madère • 300 g de foie gras • 1 grosse mangue • 3 tours du moulin à poivre

1. Versez 80 cl d'eau dans la casserole, ajoutez le contenu des paquets de gelée et portez à ébullition sans cesser de tourner. Retirez la casserole du feu, poivrez la gelée et laissez-la refroidir un peu mais sans la laisser se solidifier.

2. Découpez le foie gras en fines tranches, pelez la mangue et coupez la chair en tranches de chaque côté du noyau.

3. Mettez une couche de gelée dans le fond de la terrine et placez-la 15 min au frais pour faire durcir la gelée. Par-dessus, mettez une couche de tranches de foie gras et recouvrez-la d'une couche de gelée en veillant à ce qu'elle soit bien refroidie,

car le foie gras risquerait de fondre si la gelée était encore chaude. Remettez au frais pendant 30 min.

4. Déposez des tranches de mangue et couvrez d'une nouvelle couche de gelée. Faites prendre de nouveau au frais.

5. Continuez de remplir la terrine en répétant toutes ces opérations jusqu'à ce que la terrine soit pleine. Laissez-la prendre au frais au moins 8 h.

6. Pour démouler, plongez le fond de la terrine 30 sec dans de l'eau chaude et retournez-la sur le plat de service.

CONSEILS
La température de la gelée est la clé de la réussite de cette recette, car le foie gras ne doit pas fondre et la mangue doit rester bien fraîche. Cette recette est un peu longue mais très facile à préparer, c'est une entrée plus que délicieuse.

PLATS

BŒUF CRÉOLE

MARINADE	PRÉPARATION	CUISSON
30 min	**20 min**	**2 h 45**

MATÉRIEL
Cocotte • Papier absorbant

INGRÉDIENTS

1 kg de bœuf (paleron ou macreuse) • 10 cl de vinaigre de xérès • 4 carottes • 4 navets • 2 oignons • 3 gousses d'ail • 300 g de chou vert • 250 g de lard fumé • 1 piment antillais • 6 cuil. à soupe d'huile • Sel, poivre

1. Découpez la viande en morceaux et mettez-la dans une jatte avec le vinaigre. Salez et poivrez. Mélangez bien et laissez mariner pendant 30 min. Égouttez et essuyez les morceaux de viande avec le papier absorbant.

2. Lavez et pelez les carottes et les navets, coupez ces deux légumes en rondelles. Épluchez les oignons et les gousses d'ail, émincez-les. Lavez et émincez le chou. Retirez la couenne du lard fumé et taillez-le en lardons.

3. Dans la cocotte, faites chauffer à feu vif 3 cuil. à soupe d'huile. Ajoutez la viande et faites dorer les morceaux 5 min en les retournant.

4. Retirez les morceaux de viande de la cocotte et jetez l'huile de cuisson. Versez le reste d'huile, remettez la viande et ajoutez les oignons. Faites revenir à feu doux, pendant 10 min, avant d'ajouter les légumes, l'ail émincé et les lardons. Couvrez la cocotte et laissez mijoter pendant 2 h.

5. Ajoutez à la daube le piment entier et parfaitement intact. Laissez mijoter encore 30 min, retirez le piment. Servez avec un riz aux haricots rouges (p. 88) ou un riz blanc.

BULOTS DE MAMAN HÉLÈNE

 TREMPAGE **PRÉPARATION** **CUISSON**
1 h **15 min** **20 min**

MATÉRIEL

Grande casserole • Écumoire • Passoire • Presse-ail

INGRÉDIENTS

1,5 kg de bulots vivants • 1 oignon • 2 clous de girofle • ½ botte de persil • 1 branche de thym • 1 feuille de laurier • 1 gousse d'ail • Le jus de 1 citron vert • ¼ de piment antillais • 100 g de gros sel

1. Lavez bien les bulots plusieurs fois, puis faites-les dégorger pendant 1 h au moins dans 1 litre d'eau salée au gros sel.

2. Lavez de nouveau les bulots. Mettez-les dans la grande casserole avec 40 cl d'eau, l'oignon piqué des 2 clous de girofle, le persil, le thym, le laurier et le quart de piment tel quel. Faites cuire pendant 20 min.

3. À l'aide de l'écumoire, sortez les bulots de la casserole, répartissez-les dans des bols ou des assiettes creuses. Débarrassez-vous des herbes épuisées et filtrez le jus de cuisson. Ajoutez-y la gousse d'ail écrasée au presse-ail et le jus de citron. Mélangez bien et répartissez ce jus chaud sur les bulots.

CONSEIL

Vous pouvez servir les bulots accompagnés d'une mayonnaise à l'ail que vous présenterez dans un ramequin à part.

CARPACCIO DE MANGUES À LA LANGOUSTE

 **PRÉPARATION** **20 min** | **CUISSON** **10 min** |

MATÉRIEL

Marmite

INGRÉDIENTS

1 langouste d'environ 1,2 kg • 2 branches de persil • 1 branche de thym •
10 grains de poivre • Le jus de 1 citron vert • 4 cuil. à soupe d'huile de pépins de raisin •
1 ou 2 mangues vertes • 2 mangues mûres et fermes • Sel, poivre du moulin

1. Choisissez une langouste d'environ 1,2 kg de façon à récupérer au moins 400 g de chair. Mettez de l'eau à bouillir dans la marmite avec le persil, le thym et le poivre en grains. Plongez la langouste dans le court-bouillon et comptez 10 min de cuisson à partir de la reprise de l'ébullition.

2. Sortez la langouste de la marmite, attendez un peu avant de la décortiquer. Laissez-la refroidir complètement. Découpez la langouste en 20 rondelles très fines, sinon 16 feront très bien l'affaire. Réservez.

3. Préparez la sauce : dans un bol, mélangez le jus de citron vert avec 2 pincées de sel et 4 tours de moulin à poivre. Ajoutez 3 cuil. à soupe d'huile, mélangez bien à nouveau. Versez la sauce dans une assiette creuse.

4. Pelez les mangues, puis découpez-les en tranches très fines et régulières. Passez chaque tranche de mangue dans la sauce avant de la disposer sur une assiette individuelle. Commencez par le centre de l'assiette : faites alterner les tranches de mangue mûre et les tranches de mangue verte, en les faisant se chevaucher légèrement. Au centre de chaque assiette, disposez en rosace 4 ou 5 rondelles de langouste. Salez, poivrez au moulin, arrosez d'un petit filet d'huile… et régalez-vous !

CONSEIL

Vous pouvez accompagner ce carpaccio d'une bonne salade de laitue assaisonnée d'une vinaigrette très légèrement aillée, c'est délicieux !

CARPACCIO DE DAURADE AU COLOMBO

PRÉPARATION
15 min

MATÉRIEL

Mandoline (ou râpe à gros trous) • Pinceau de cuisine

INGRÉDIENTS

600 g de filets de daurade • 1 petite courgette • 1 petit oignon • 6 cives • Le jus de 1 citron vert • 1 cuil. à café de gingembre râpé • 1 cuil. à café de poudre à colombo • 3 cuil. à soupe d'huile de tournesol • Sel, poivre du moulin

1. Demandez au poissonnier de vous préparer les filets de daurade en carpaccios. Réservez-les au réfrigérateur.

2. Lavez la courgette, essuyez-la et émincez-la en rondelles très fines à l'aide de la mandoline. Épluchez l'oignon et les cives, lavez-les. Émincez l'oignon sur la mandoline (ou râpez-le avec une râpe à gros trous), et ciselez très finement les cives.

3. Dans un bol, mélangez le jus de citron vert, du sel, du poivre, le gingembre râpé et la poudre à colombo. Dans un premier temps, étalez la sauce sur le poisson à l'aide du pinceau de cuisine, de façon à ce que chaque tranche de poisson en soit imprégnée.

4. Disposez les tranches de poisson sur chaque assiette et mettez au milieu un petit tas de rondelles de courgettes crues, puis parsemez le tout de rondelles d'oignon et de cives ciselées. Terminez en versant en filet un peu de sauce sur chaque carpaccio.

CHINCHARDS FARCIS

PRÉPARATION
30 min

CUISSON
45 min

MATÉRIEL
Sauteuse • Presse-citron •
Gants en plastique jetables •
Petits sticks en bois • Plat à four

INGRÉDIENTS

6 cives (ciboules) • 4 gousses d'ail • 3 tomates • 2 citrons verts • ¼ de piment antillais •
150 g de chair à saucisse • 6 chinchards • 5 cuil. à soupe d'huile d'olive • Sel, poivre noir

1. Épluchez les cives et les gousses d'ail, hachez-les finement. Plongez les tomates 1 min dans de l'eau bouillante, égouttez-les, pelez-les et épépinez-les. Pressez 1 citron vert. Enfilez les gants avant de trancher le pédoncule du piment. Ouvrez-le et ôtez les petites graines qui sont à l'intérieur. Prélevez un quart du piment et hachez-le.

2. Dans la sauteuse, faites chauffer 3 cuil. à soupe d'huile à feu moyen, ajoutez le hachis de cives et d'ail, et faites-le revenir rapidement en remuant. Ajoutez les tomates et poursuivez la cuisson à feu plutôt vif, jusqu'à ce que le liquide de végétation des tomates soit réduit. Ajoutez à la préparation la chair à saucisse en l'écrasant à la fourchette pour la mélanger aux tomates. Salez, poivrez et pimentez plus ou moins, selon votre goût. Versez le jus de citron et poursuivez la cuisson en remuant de temps à autre, jusqu'à ce que la farce prenne consistance.

3. Lavez les poissons en retirant toute trace de sang. Décollez l'arête centrale en la soulevant avec un petit couteau et coupez-la à la hauteur de la queue, coupez la tête et retirez l'arête.

4. Préchauffez le four à 270 °C (th. 9). Remplissez le ventre des poissons de farce et fermez avec des petits sticks en bois. Rangez les poissons bien serré dans le plat à four, salez, poivrez et arrosez du reste d'huile.

5. Glissez le plat dans le four et faites cuire de 20 à 25 min. Servez aussitôt les chinchards accompagnés du second citron coupé en rondelles.

CONSEIL

Présent toute l'année sur les étals, le chinchard est un poisson délicieux et peu coûteux. Sa chair, plus maigre que celle du maquereau, demande à être cuisinée le jour de l'achat.

CHRISTOPHINES FARCIES AU CRABE

 PRÉPARATION 35 min | **CUISSON** 45 min | **ÉGOUTTAGE** 1 h |

MATÉRIEL
Marmite • Passoire • Mixeur • 2 tamis fins • Plat à four

INGRÉDIENTS
5 christophines (chayottes) • 15 cl de lait • 4 tranches de pain de mie • 4 tranches de jambon cuit • 80 g de beurre • 200 g d'emmental râpé • 3 cuil. à soupe de chapelure • 3 cuil. à soupe d'huile • Gros sel, sel fin, poivre noir

1. Lavez les christophines et coupez-les en deux dans la longueur. Dans la marmite, portez à ébullition une grande quantité d'eau salée au gros sel. Dès les premiers bouillons, plongez les christophines dans l'eau et faites-les cuire pendant 25 min. Égouttez-les dans la passoire, côté peau dessus.

2. Faites tiédir le lait et laissez-y tremper le pain de mie. Pressez-le ensuite entre vos mains pour en retirer l'excédent de lait. Hachez finement le jambon et réservez-le.

3. À l'aide d'une cuillère, retirez le noyau des christophines, puis récupérez la pulpe de 4 christophines, sans abîmer les peaux. Réservez 6 coques de peau pour les farcir.

4. Mixez la pulpe de ces christophines en purée et laissez-la égoutter sur un tamis fin pendant au moins 1 h pour ôter l'excédent d'eau.

5. Pelez les 2 moitiés de la dernière christophine et taillez la pulpe en petits dés. Laissez-les égoutter pendant 1 h sur un tamis fin.

6. Mettez l'huile dans une sauteuse posée sur un feu vif. Dans un saladier, mélangez la purée de christophines avec le pain trempé, le beurre et la moitié du fromage râpé ; salez et poivrez. Versez le tout dans la sauteuse et faites cuire 5 min, à feu plutôt vif, sans cesser de remuer pour que la purée n'attache pas.

7 Préchauffez le four à 240 °C (th. 8). Hors du feu, ajoutez à la purée le hachis de jambon et les dés de christophine. Rectifiez l'assaisonnement. Remplissez les 6 coques de cette farce. Mélangez le reste de fromage râpé et la chapelure, et parsemez-en la farce. Rangez les christophines farcies dans le plat à four, enfournez et faites gratiner 15 min. Servez chaud, en accompagnement de viandes rôties ou bien encore de poissons grillés.

LE COCHON DE PAPA VIVIE

**PRÉPARATION
15 min** | **CUISSON
2 h 15** |

MATÉRIEL

Grande marmite • Cocotte • Gants en plastique jetables pour manipuler le piment

INGRÉDIENTS

3 citrons • 1 kg de palette de porc demi-sel • 1 kg de travers de porc • 1 kg d'échine de porc • 3 queues de porc • 1 oignon • 4 clous de girofle • 20 grains de poivre noir • 4 patates douces à chair orange • Sel **Pour la vinaigrette aux oignons** : 1 kg d'oignons paille • ¼ de piment antillais • 15 cl d'huile d'arachide • 7 cuil. à soupe de vinaigre blanc

1. Coupez les citrons en deux et frottez-les énergiquement sur les viandes en les pressant un peu pour en extraire le jus. Rincez abondamment et, à l'aide d'un petit couteau d'office, grattez la couenne des queues de porc.

2. Disposez toutes les viandes dans la grande marmite, versez de l'eau froide à hauteur et portez à frémissement, puis jetez l'eau. Recommencez l'opération trois fois.

3. Épluchez l'oignon et piquez les clous de girofle. Transférez le porc dans une cocotte, versez de l'eau froide à hauteur, ajoutez l'oignon piqué des clous de girofle, le poivre en grains, puis portez à ébullition. Réduisez à feu doux et laissez cuire pendant 1 h 45.

4. Brossez les patates douces sous l'eau du robinet et rincez-les bien. Dans une casserole, faites bouillir 50 cl d'eau salée, puis jetez-y les patates douces et faites-les cuire pendant 20 min.

5. Préparez la vinaigrette aux oignons : épluchez et hachez finement les oignons paille à la main. J'insiste sur la méthode : ne les passez pas au mixeur ! Dans un bol, mettez le hachis d'oignon, le quart de piment tel quel, l'huile, le vinaigre blanc et 2 louches du bouillon de cuisson bouillant. Fouettez bien le tout.

6. Dressez les viandes sur un plat de service chaud. Pelez et coupez les patates douces en deux dans le sens de la longueur, et présentez-les séparément avec le bol de vinaigrette aux oignons.

COLOMBO DE POISSON

 PRÉPARATION **25 min** | **CUISSON** **1 h** | **MATÉRIEL** Cocotte • Presse-ail

INGRÉDIENTS

1 gros oignon • 5 gousses d'ail • 7 cives (ciboules) • 4 tranches de thazard, daurade ou vivaneau d'env. 200 g chacune • 3 citrons verts • 2 cuil. à soupe de massalé • 2 courgettes • 2 bélangères (aubergines) • 3 tomates • 2 cuil. à soupe de poudre à colombo • 1 branche de thym • 2 branches de persil plat • 1 piment antillais • 4 cuil. à soupe d'huile • Sel

1. Pelez l'oignon, les gousses d'ail et les cives. Frottez les tranches de poisson à l'aide d'un citron vert coupé en deux, puis rincez-les rapidement sous l'eau. Mettez-les à mariner avec 2 gousses d'ail écrasées, 3 pincées de sel, 1 cuil. à soupe d'huile et 1 cuil. à soupe de massalé, le temps de préparer la suite.

2. Lavez tous les légumes. Coupez les aubergines et les courgettes en tronçons, coupez les tomates en quartiers. Versez 1 cuil. à soupe d'huile dans la cocotte et faites-y revenir les légumes, à feu moyen, pendant 5 min. Ajoutez 1 gousse d'ail, l'oignon coupé en petits morceaux, la dernière cuillerée de massalé, la poudre à colombo et 3 pincées de sel ; faites revenir le tout 2 min de plus.

3. Nouez ensemble le thym, le persil plat et les cives entières en un petit bouquet,

que vous ajoutez dans la cocotte. Arrosez le tout de 20 cl d'eau et portez à ébullition. Couvrez la cocotte, réduisez le feu et laissez mijoter, à feu moyen, pendant 15 min.

4. Ajoutez les tranches de poisson avec leur marinade et le piment antillais (sans enlever son pédoncule) dans la cocotte et laissez cuire, à petits frémissements, pendant 15 min.

5. Préparez la sauce : mélangez au fouet le jus de 2 citrons verts, les dernières gousses d'ail écrasées au presse-ail et le reste d'huile. Vérifiez que le poisson est cuit. Ajoutez alors cette sauce dans le colombo. Faites bouger la cocotte pour bien répartir la sauce sans défaire les tranches de poisson. Augmentez le feu, laissez prendre deux gros bouillons, le colombo est prêt ! Arrêtez tout et servez avec du riz blanc.

CONSEIL

Ce colombo est délicieux avec des ignames ou des patates douces.

COLOMBO DE PORC

8 | **PRÉPARATION** 25 min | **CUISSON** 50 min |

MATÉRIEL
Cocotte • Presse-ail • Presse-citron

INGRÉDIENTS

2 citrons verts • 800 g de porc dans l'échine • 400 g de porc dans la rouelle • 1 oignon •
1 branche de thym frais • 5 cives (ciboules) • 1 branche de persil plat • 3 courgettes •
2 aubergines • 4 gousses d'ail • 3 cuil. à soupe de poudre à colombo • 1 cuil. à soupe
de massalé • 1 piment antillais • 5 cuil. à soupe d'huile • Sel

1. Coupez 1 citron vert en deux et utilisez-le pour frotter le porc. Coupez l'échine et la rouelle en morceaux de taille moyenne. Pelez et hachez l'oignon.

2. Dans la cocotte, faites chauffer 2 cuil. à soupe d'huile à feu moyen, faites-y revenir la viande 5 min en remuant les morceaux avant d'ajouter l'oignon haché, la branche de thym, les cives et le persil. Couvrez la cocotte et faites cuire, à feu plutôt doux, pendant 15 min.

3. Lavez les courgettes et les aubergines, coupez-les en tronçons. Pelez l'ail et écrasez-le au presse-ail. Pressez le second citron.

4. Au bout de 20 min de cuisson, ajoutez à la viande les tronçons de légumes, 15 cl d'eau, la poudre à colombo et le massalé. Salez et poursuivez la cuisson, à feu moyen et à couvert, pendant 15 min, avant d'ajouter le piment entier. Réduisez le feu et laissez mijoter encore 10 min.

5. Pendant ce temps, mettez dans un bol le reste d'huile, le jus de citron et l'ail. Fouettez bien le tout. Ajoutez le contenu du bol dans la cocotte et faites prendre deux gros bouillons avant de retirer la cocotte du feu. Ôtez le piment. Servez chaud avec un riz créole (p. 15).

COURT-BOUILLON DE POISSONS

 MARINADE **1 h** | **PRÉPARATION** **15 min** | **CUISSON** **30 min**

MATÉRIEL

Cocotte • Presse-citron • Presse-ail

INGRÉDIENTS

1,5 kg de poissons (daurade, mérou, capitaine ou autres poissons à chair blanche) • 4 citrons verts •
½ botte de cives (ciboules) • 3 branches de persil plat • 300 g de tomates • 5 gousses d'ail •
1 piment antillais • 5 cl d'huile de roucou ou 1 cuil. à soupe de « beurre rouge »
et 5 cl d'huile d'arachide ou de tournesol • 2 cuil. à soupe d'huile • Sel, poivre

1. Coupez les poissons en deux si ce sont de petits poissons ou en darnes si ce sont des poissons plus gros. Pressez les citrons verts. Mettez les poissons dans un plat creux, ajoutez 1 cuil. à café de sel, 1 cuil. à café de poivre moulu et le jus de 2 citrons. Laissez mariner 1 h au frais en retournant les poissons plusieurs fois.

2. Pelez les cives et l'ail, lavez le persil et les tomates. Coupez les tomates en quartiers, hachez les cives et le persil, écrasez l'ail au presse-ail. Mettez le persil, les cives et les tomates avec l'huile de roucou dans la cocotte et faites suer 10 min à feu doux.

3. Ajoutez le poisson et 1 verre d'eau dans la cocotte. Amenez à ébullition à feu vif puis réduisez le feu. Mettez le piment entier dans la sauce (s'il était coupé ou ouvert, il rendrait le court-bouillon immangeable). Salez, couvrez la cocotte et laissez mijoter pendant 20 min.

4. Retirez le piment et ajoutez dans la cocotte l'ail écrasé, le jus de 2 citrons et l'huile. Laissez mijoter de 2 à 3 min. Servez avec un riz créole (p. 15).

CONSEILS

Vous trouverez le « beurre rouge » et l'huile de roucou dans les épiceries antillaises.

CRABES FARCIS

**PRÉPARATION
2 h** | **CUISSON
35 min**

MATÉRIEL

6 moules à gratin • Marmite • Passoire • Presse-ail • Gants en plastique jetables •
Poêle • Mixeur

INGRÉDIENTS

1 feuille de laurier • 2 branches de thym frais • 6 crabes tourteaux • 30 cl de lait • 6 tranches
de pain de mie rassis • 1 botte de cives (ciboules) • 2 gousses d'ail • 1 botte de persil plat •
¼ de piment antillais • Le jus de 1 citron vert • Chapelure • ½ cuil. à café de poivre
en grains • 5 cl d'huile • Beurre pour les moules • Sel

1. Dans la marmite, versez une grande
quantité d'eau salée, ajoutez la feuille de
laurier, les branches de thym et le poivre.
Portez à ébullition. Brossez les tourteaux
sous l'eau froide et plongez-les dans l'eau
en ébullition puis laissez-les cuire 15 min.
Égouttez-les, rincez-les sous l'eau froide
pour raffermir les chairs et égouttez-les
de nouveau.

2. Faites tiédir le lait. Dans une jatte,
mettez le pain, versez dessus le lait tiède
et laissez-le tremper.

3. Épluchez les cives et les gousses d'ail,
lavez et essorez le persil. Hachez finement
les cives et le persil, écrasez l'ail au presse-ail.
Protégez vos mains avec les gants et hachez
finement le quart de piment.

4. Faites chauffer l'huile à feu doux dans
la poêle. Faites-y revenir les herbes et l'ail
en remuant, sans les laisser dorer, pendant
environ 10 min, puis retirez la poêle du feu.

5. Décortiquez les tourteaux et récupérez
la chair des pattes et des carapaces ainsi
que le corail, qui reste collé à l'intérieur
de la carapace, et la matière crémeuse.
Émiettez toutes les chairs. Pressez la mie
de pain pour en retirer le maximum de lait
et mixez-la 2 à 3 min avec le corail et
la matière crémeuse. Mélangez le tout
à la chair des crabes.

6. Remettez la poêle contenant les herbes
sur feu doux, ajoutez la chair des crabes et
le piment. Faites cuire 10 min à feu moyen
sans cesser de remuer. Versez le jus de
citron et poursuivez la cuisson 2 min.
Salez et retirez la poêle du feu.

7. Beurrez 6 moules à gratin individuels
et remplissez-les avec la farce au crabe,
parsemez de chapelure et passez-les sous
le gril du four bien chaud pendant 7 min.
Servez chaud.

MORUE AUX BANANES PLANTAIN

TREMPAGE	PRÉPARATION	CUISSON	POCHAGE
24 h	**10 min**	**15 min**	**8 min**

MATÉRIEL

Casseroles • Passoire

INGRÉDIENTS

800 g de morue salée séchée • 9 bananes plantain mûres mais fermes • 4 cuil. à soupe d'huile d'arachide • 2 pincées de sel

1. La veille : faites dessaler la morue en la mettant à tremper dans de l'eau froide, changez l'eau trois ou quatre fois.

2. Le jour même : lavez les bananes plantain. Après avoir coupé leurs extrémités et incisé leur peau sur toute leur longueur, plongez-les dans une eau bouillante salée. Faites cuire ainsi pendant environ 15 min.

3. Pendant ce temps, mettez les morceaux de morue dans une casserole, couvrez-les d'eau froide et amenez au point d'ébullition. Faites pocher dans l'eau à peine frémissante pendant 8 min.

4. Égouttez les bananes, pelez-les, débarrassez-les de leurs petits filaments. Coupez chaque banane en 2 tronçons, puis recoupez chaque tronçon dans le sens de la longueur. Présentez joliment une banane et demie sur chaque assiette.

5. Débarrassez la morue de sa peau et de ses arêtes, puis « effeuillez-la » au-dessus des bananes. Arrosez la morue et les bananes d'un filet d'huile d'arachide ; servez aussitôt.

CONSEIL

Ce plat d'une grande simplicité est un enchantement : la banane est sucrée, la morue est salée et l'huile d'arachide est ronde et douce. Vous pouvez y mettre du piquant en ajoutant quelques gouttes d'huile pimentée.

VARIANTE

Vous pouvez remplacer les bananes plantain par de petites bananes vertes (pòyò ou ti-nain) bien chaudes.

DOMBRÉS
AUX HARICOTS ROUGES

TREMPAGE
8 h ou 1 nuit

PRÉPARATION
40 min

CUISSON
2 h

MATÉRIEL
Marmite • Presse-ail •
Ciseaux de cuisine

INGRÉDIENTS

500 g de haricots rouges • 3 queues de porc demi-sel • 5 cives (ciboules) • 1 oignon piqué de 5 clous de girofle • 2 citrons • 300 g de poitrine de porc fumée • 3 gousses d'ail • 1 piment antillais • 2 cuil. à soupe de vinaigre • 3 cuil. à soupe d'huile d'olive **Pour la pâte à dombrés** : 400 g de farine + farine pour le plan de travail • 1 cuil. à café d'huile d'olive • Sel

1. La veille : mettez à tremper les haricots rouges dans un grand récipient d'eau froide. Mettez également à tremper les queues de porc dans un autre récipient d'eau froide.

2. Le jour même : pelez les cives, laissez-les entières et nouez-les. Égouttez les haricots, jetez l'eau de trempage. Mettez les haricots rouges dans la marmite avec l'oignon piqué des clous de girofle, les cives et le vinaigre. Portez à ébullition, puis réduisez le feu et laissez cuire 1 h en maintenant une ébullition moyenne.

3. Grattez les queues de porc, frottez-les de toutes parts à l'aide des citrons coupés en deux. Rincez-les sous l'eau froide, coupez-les en morceaux ainsi que la poitrine fumée et réservez. Pelez l'ail, écrasez-le au presse-ail, mettez-le dans un bol avec l'huile d'olive.

4. Préparez la pâte des dombrés (voir technique p. 17). Faites-en des boudins d'environ 1,5 cm de diamètre. Mettez un peu de farine sur un plateau. À l'aide des ciseaux de cuisine, coupez les boudins en petits tronçons d'environ 2 cm, pas plus. Saupoudrez le tout d'un peu de farine afin qu'ils ne collent pas les uns aux autres et réservez.

5. Au bout de 1 h de cuisson, ajoutez les viandes dans la marmite et faites cuire 30 min de plus. Vérifiez la cuisson des haricots rouges, ils doivent s'aplatir sous les doigts sans résistance, sinon prolongez la cuisson. Cependant ils ne doivent pas être réduits en purée.

6. Augmentez le feu, ajoutez le piment entier et parfaitement intact dans la marmite, jetez-y les dombrés, et comptez 20 min de cuisson à partir de la reprise de l'ébullition. Ôtez le piment de la marmite. Ajoutez l'huile à l'ail, mélangez, faites prendre trois gros bouillons et arrêtez le feu. Servez chaud, avec de l'avocat.

CONSEIL
Attention : n'oubliez pas d'ôter le piment de la marmite avant de mélanger la préparation, sinon vous écraseriez le piment qui libérerait toute sa force et rendrait le plat immangeable.

VARIANTE
Si vous n'aimez pas l'huile d'olive, vous pouvez la remplacer par de l'huile de tournesol ou de pépins de raisin.

FLAN
DE PAPAYE VERTE

 PRÉPARATION **15 min** | **CUISSON** **55 min**

MATÉRIEL

8 ramequins • Sauteuse • Mixeur

INGRÉDIENTS

1 papaye verte de 1 kg environ • 2 gousses d'ail • ½ botte de persil plat • 6 œufs •
20 cl de crème fraîche • 50 g de beurre + beurre pour les moules • 2 cuil. à soupe d'huile •
Sel, poivre noir

1. Coupez la papaye en quatre, épépinez et pelez les quartiers et coupez chacun d'eux en petits morceaux. Pelez et émincez l'ail ; lavez le persil et hachez-le.

2. Dans la sauteuse, faites chauffer l'huile et le beurre, ajoutez l'ail, le persil et les morceaux de papaye. Salez, poivrez et faites revenir 10 min en remuant sans cesse.

3. Préchauffez le four à 150 °C (th. 5). Battez les œufs en omelette. Dans le bol du mixeur, mettez la crème, les œufs battus et le contenu de la sauteuse. Mixez jusqu'à l'obtention d'une purée fine.

4. Beurrez 8 ramequins et remplissez-les de la préparation. Mettez les ramequins dans un plat contenant 2 cm d'eau. Glissez le plat dans le four et faites cuire au bain-marie pendant 45 min. Servez avec un coulis de tomates.

FRICASSÉE DE CHATROU (POULPE)

 PRÉPARATION **35 min** | **CUISSON** **1 h 20** |

MATÉRIEL

Cocotte • Papier absorbant • Presse-ail

INGRÉDIENTS

1 chatrou (poulpe) de 2 kg • 10 cives (ciboules) • 5 branches de persil • 2 branches de thym • 400 g de petites tomates • 1 piment antillais • 4 gousses d'ail • Le jus de 2 citrons verts • 5 cuil. à soupe d'huile • Sel fin

1. Demandez au poissonnier de préparer le chatrou, sinon procédez comme suit : séparez la tête du chatrou de ses tentacules et nettoyez-la ; enlevez les yeux et le bec, et jetez-les. Frottez le chatrou avec du sel fin afin de lui ôter toute viscosité, rincez-le bien et coupez les tentacules en morceaux de 7 à 8 cm de longueur (ils rétréciront à la cuisson).

2. Pelez les cives, lavez-les et épongez-les dans le papier absorbant. Lavez le persil, séchez-le. Nouez ensemble toutes les herbes, y compris le thym et faites-les revenir pendant 2 à 3 min dans la cocotte avec 2 cuil. à soupe d'huile. Ajoutez les tomates lavées et équeutées et faites-les revenir 10 min dans cette huile parfumée.

3. Réduisez le feu puis ajoutez les morceaux de chatrou. (Attention, il ne faut pas les saisir dans une préparation trop chaude, ils se rétracteraient et deviendraient trop durs.) Laissez cuire le tout à feu moyen pendant 1 h, puis ajoutez du sel et le piment antillais entier avec son pédoncule et parfaitement intact. Poursuivez la cuisson, à feu doux, pendant encore 20 min.

4. Pelez l'ail, écrasez-le au presse-ail et mettez-le dans un bol avec le restant d'huile et le jus des citrons verts ; fouettez le tout. Ajoutez cette préparation dans la cocotte en toute fin de cuisson, laissez prendre deux gros bouillons et stoppez la cuisson. Retirez le bouquet d'herbes épuisées. C'est prêt ! Servez chaud avec du riz blanc ou du riz aux haricots rouges (voir recette p. 88).

FRITES D'IGNAME

PRÉPARATION
20 min

CUISSON
20 min

MATÉRIEL
Linge propre • Friteuse • Papier absorbant

INGRÉDIENTS

1,5 kg d'ignames blanches • 1 litre d'huile pour friture • Sel

1. Pelez les ignames et coupez-les en tronçons d'environ 7 cm. Recoupez chaque tronçon en bâtonnets. Lavez-les. Mettez les bâtonnets dans le linge propre et séchez-les.

2. Faites chauffer l'huile à 180 °C, plongez-y la moitié des frites d'igname et faites-les frire 10 min. Égouttez-les sur du papier absorbant et réservez au four. Faites frire le reste des frites. Mettez-les sur un plat. Salez et servez chaud.

FRITES DE FRUIT PAIN

PRÉPARATION
20 min

CUISSON
10 min

MATÉRIEL
Linge propre • Friteuse • Papier absorbant

INGRÉDIENTS

1 fruit à pain de 1,5 kg, choisi très ferme • 1 litre d'huile pour friture • Sel

1. Coupez le fruit à pain en quartiers, pelez chaque quartier et retirez la partie spongieuse du centre. Débitez le fruit à pain en frites d'environ 2 cm d'épaisseur. Lavez-les et essuyez-les avec le linge propre.

2. Faites chauffer l'huile à 180 °C et plongez-y les frites. Au bout de 5 min de cuisson, égouttez les frites 2 à 3 min avant de les replonger dans l'huile chaude pendant 5 min. Égouttez les frites sur du papier absorbant, mettez-les sur un plat, salez et servez.

FRITES DE PATATES DOUCE

 PRÉPARATION **20 min** | **CUISSON** **20 min** | **MATÉRIEL** Linge propre • Friteuse • Papier absorbant

INGRÉDIENTS

2 kg de patates douces • 1 litre d'huile pour friture • Sel

1. Brossez les patates douces sous l'eau courante. Pelez-les, coupez-les en bâtonnets de 2 cm d'épaisseur et essuyez-les avec le linge propre.

2. Chauffez l'huile à 170 °C, plongez la moitié des frites pendant 5 min et soulevez le panier pour qu'elles puissent s'égoutter. Réservez 3 min puis replongez les frites 5 min dans la friture. Répétez ces opérations avec le reste des frites. Mettez-les sur un plat, salez-les et servez.

GOMBOS EN SAUCE

4 | **PRÉPARATION** **15 min** | **CUISSON** **10 min**

MATÉRIEL

Casserole • Presse-citron • Gants en plastique jetables • Presse-ail

INGRÉDIENTS

600 g de petits gombos • ½ botte de cives ou ciboules • 1 citron vert • 2 gousses d'ail • 5 branches de persil plat • 2 branches de thym frais • ¼ de piment antillais • 2 cuil. à soupe d'huile d'olive • Sel

1. Lavez-les gombos à l'eau froide. Coupez un peu leur pédoncule si nécessaire. Épluchez les cives, lavez-les ainsi que le persil et le thym. Pressez le citron vert. Enfilez les gants, puis hachez finement le quart de piment. Pelez les gousses d'ail, pressez-les au presse-ail.

2. Versez 30 cl d'eau dans la casserole, ajoutez les cives, le persil, le thym et du sel. Portez à ébullition avant d'y jeter les gombos. Laissez reprendre l'ébullition, puis réduisez le feu et laissez cuire les gombos, à feu moyen, pendant 10 min.

3. Pendant ce temps, mettez dans un saladier le jus de citron, du sel, l'huile d'olive, le piment et l'ail. Fouettez pour émulsionner la sauce. Versez les gombos et leur jus de cuisson dans le saladier. Mélangez-les délicatement à la sauce et servez aussitôt.

CONSEIL

Également appelé okra en Tunisie, bamya en Grèce et en Turquie, ce petit légume est originaire d'Afrique. Frais, on ne le conserve pas plus de 3 jours au réfrigérateur.

GRATIN DE BANANES PLANTAIN

6 | **PRÉPARATION** 40 min | **CUISSON** 20 min |

MATÉRIEL

Friteuse • Papier absorbant • Casserole • Plat à gratin

INGRÉDIENTS

2 kg de bananes plantain bien mûres mais fermes • 50 g de beurre + beurre pour le plat • 50 g de farine • 1 litre de lait • 1 litre d'huile pour friture • Sel, poivre noir

1. Épluchez les bananes plantain et coupez-les en tranches fines dans la longueur.

2. Faites chauffer l'huile à 180 °C. Plongez les tranches de bananes dans la friture par petites quantités et laissez-les frire 3 ou 4 min. Égouttez-les au fur et à mesure sur du papier absorbant. Préchauffez le four à 180 °C (th. 6).

3. Préparez une béchamel : faites fondre le beurre à feu doux dans la casserole. Hors du feu, ajoutez la farine et tournez avec une cuillère en bois pour bien mélanger. Salez, poivrez et versez le lait petit à petit sans cesser de tourner. Arrêtez la cuisson dès l'ébullition.

4. Beurrez le plat à gratin. Remplissez-le alternativement de couches de bananes et de couches de béchamel en terminant par une couche de béchamel. Glissez le plat dans le four et faites cuire pendant 20 min. Servez chaud.

CONSEIL

Cuisinées au gros sel, en friture, en gratin ou en sauce, les bananes plantain font couramment office de légumes.

JAMBON
À L'ANANAS

8 | **PRÉPARATION** **30 min** | **CUISSON** **3 h** |

MATÉRIEL

Grand plat à four • Pinceau de cuisine • Petit couteau pointu • Gants en plastique jetables • Mortier et pilon • Papier d'aluminium • Poêle antiadhésive

INGRÉDIENTS

1 jambon de porc frais de 3 kg environ • 6 gousses d'ail • ¼ de piment antillais • 2 cuil. à soupe d'huile d'arachide • 2 cuil. à café de poivre noir moulu • 1 pincée de poivre de Cayenne • 2 cuil. à café de sel fin • 20 g de beurre **Pour la garniture :** 2 boîtes de 250 g de tranches d'ananas au sirop • 25 g de beurre

1. Préparez le jambon en laissant seulement la couenne de la crosse, puis badigeonnez-le d'huile à l'aide du pinceau. Faites ensuite de nombreuses et profondes incisions dans la chair en vous servant d'un petit couteau pointu et bien aiguisé.

2. Préchauffez le four à 180 °C (th. 6). Pelez les gousses d'ail, enfilez les gants et hachez grossièrement le piment. Mettez ces ingrédients dans le mortier avec les 2 poivres et le sel. Pilez longuement de façon à obtenir une sorte de « pommade ». Introduisez un peu de cette préparation dans chaque incision du jambon.

3. Mettez le jambon dans le plat à four et enfournez pour 3 h de cuisson. Dès que le jambon est doré, versez un peu d'eau chaude dans le plat. Arrosez le jambon plusieurs fois pendant la cuisson et retournez-le au moins quatre fois.

4. Dès que le jambon est cuit, recouvrez-le de papier d'aluminium et laissez-le en attente, pendant 10 à 15 min, à l'entrée du four afin que les sucs se diffusent dans la chair. Ainsi, la viande va se détendre et sera bien plus savoureuse.

5. Préparez la garniture : égouttez les tranches d'ananas, réservez le sirop. Faites fondre le beurre à feu doux dans la poêle antiadhésive, déposez les tranches d'ananas et laissez-les blondir en les retournant dès qu'un côté est bien doré.

6. Posez le jambon sur un plat chaud, entouré des tranches d'ananas. Versez 10 cl du sirop réservé dans le plat de cuisson et grattez avec une spatule pour décoller les sucs. Versez ce jus dans une saucière et incorporez-lui, en fouettant, le beurre coupé en petits morceaux. Servez le jambon et sa garniture accompagnés de la sauce.

LAMBIS EN SAUCE

PRÉPARATION | **CUISSON** | **MATÉRIEL**
30 min | **30 min** | Faitout • Rouleau à pâtisserie

INGRÉDIENTS

1,2 kg de lambis frais (à défaut, des lambis congelés) • 7 cives • 6 branches de persil • 1 branche de thym • 4 gousses d'ail • 2 tomates • 1 piment antillais • Le jus de 1 citron vert • 5 cuil. à soupe d'huile de tournesol ou d'arachide • Sel

1. Nettoyez les lambis : frottez-les énergiquement avec du sel et rincez-les sous l'eau froide. Répétez l'opération plusieurs fois afin de les débarrasser de toute trace de viscosité. Battez-les bien à l'aide du rouleau à pâtisserie pour les attendrir, puis découpez-les en petits morceaux.

2. Pelez les cives et lavez-les. Lavez le persil et le thym, le tout à l'eau froide. Faites un petit bouquet avec 3 cives et 4 branches de persil entières, nouez-le et mettez-le de côté avec le thym. Ciselez finement le reste.

3. Faites chauffer 3 cuil. à soupe d'huile dans le faitout et faites-y revenir la moitié des herbes ciselées et 2 gousses d'ail émincées. Lorsque les cives et l'ail sont devenus translucides, ajoutez les tomates concassées et poursuivez la cuisson, à feu vif, pendant 5 min, le temps de réduire l'eau de végétation des tomates, puis réduisez le feu.

4. Ajoutez les lambis dans le faitout, mélangez-les pour bien les imprégner de la préparation. Versez de l'eau à hauteur. Ajoutez le thym et le bouquet d'herbes entières. Laissez cuire le tout, à petits frémissements, pendant 20 min, de façon à bien parfumer les lambis. Au bout de 10 min de cuisson, ajoutez le piment antillais entier avec son pédoncule. (Attention, ne faites pas bouillir les lambis, leur chair se racornirait !). Goûtez et salez à votre convenance.

5. Préparez la sauce : fouettez énergiquement le reste de l'huile, le jus de citron, 2 gousses d'ail pressées et le reste d'herbes ciselées. Versez cette sauce dans le faitout 1 min avant la fin de la cuisson des lambis. Stoppez le feu, retirez le piment et servez bien chaud avec du riz blanc ou du riz aux haricots rouges (p. 88).

CONSEIL

Le lambi est un mollusque gastéropode dont les Antillais sont très friands. Il a la réputation d'être difficile à cuisiner à cause de son côté caoutchouteux. Pour éviter ce désagrément, il suffit de l'attendrir, de ne jamais le faire bouillir. À défaut de lambis frais, on trouve dans les épiceries antillaises des lambis congelés.

POISSON CRU MARINÉ

 PRÉPARATION | **MARINADE**
20 min | **1 h**

MATÉRIEL

Presse-citron • Papier absorbant • Gants en plastique jetables pour manipuler le piment

INGRÉDIENTS

6 citrons verts • 2 gousses d'ail • 1 botte de persil plat • ¼ de piment antillais • 1 cuil. à café de gingembre râpé • 1,6 kg de filets de poisson (vivaneau, daurade ou thon) • 40 cl de lait de coco • 1 cuil. à café de baies roses

1. Préparez la marinade : pressez tous les citrons verts. Pelez l'ail, lavez le persil et séchez-le dans du papier absorbant. Hachez très finement le persil et l'ail ; enfilez les gants et hachez également très finement le quart de piment. Mettez le tout dans un grand saladier, complétez avec le jus de citron et le gingembre râpé.

2. Détaillez le poisson en dés d'environ 2 cm de côté, mélangez-les à la marinade dans le saladier. Laissez macérer au réfrigérateur, pendant 1 h, en ayant soin de mélanger les morceaux de poisson dans la marinade de temps à autre.

3. Retirez les dés de poisson de la marinade, mettez-les dans le plat de service. Versez le lait de coco et mélangez délicatement le tout. Parsemez le poisson de baies roses et servez-le frais.

VIVANEAU RÔTI EN CROÛTE DE SEL

PRÉPARATION
10 min

CUISSON
45 min

MATÉRIEL

Moule à tarte • Papier sulfurisé

INGRÉDIENTS

1 vivaneau de 1,8 kg, avec ses écailles • 3 kg de gros sel

1. Préchauffez le four à 250 °C (th. 8). Videz le poisson par les ouïes ou demandez au poissonnier de le faire lors de l'achat.

2. Étalez la moitié du gros sel sur une plaque de cuisson (ou dans un grand plat à four) et déposez le vivaneau sur le sel. Recouvrez la totalité du poisson avec le sel restant. Plongez vos mains dans un bol d'eau froide et pressez bien tout autour du poisson pour former une coque uniforme. Attention, n'arrosez pas le sel ! Faites cuire au four pendant 45 min.

3. Sortez le poisson du four et laissez-le reposer 10 min. Portez le poisson à table sur la plaque de cuisson, et brisez la croûte de sel devant les yeux émerveillés de vos invités… Retournez en cuisine pour libérer le poisson. Retirez la tête, les arêtes et la peau. Levez les filets et disposez-les sur un plat de service. Accompagnez ce plat de légumes vapeur ou de patates douces cuites au four, d'une sauce chien (p. 14) ou d'une mayonnaise pimentée de rondelles de citron vert.

CONSEIL

Il est impératif que le poisson conserve sa peau et ses écailles pour ce type de cuisson, sinon sa chair serait trop salée.

VARIANTES

Vous pouvez réaliser la même recette avec du bar ou de la daurade.

PORC AUX MANGUES

 PRÉPARATION
30 min | **CUISSON**
2 h 30 |

MATÉRIEL
Cocotte • Poêle

INGRÉDIENTS
1 kg de porc dans l'échine • 10 grains de piment Jamaïque • 1 bâton de cannelle de 5 cm • 3 mangues • 50 g de beurre • 1 cuil. à soupe de sucre de canne • Sel, poivre

1. Désossez l'échine de porc, coupez-la en gros morceaux et conservez les os. Mettez la viande et les os dans la cocotte, de préférence en fonte. Salez et poivrez la viande, ajoutez les grains de piment Jamaïque et la cannelle. Couvrez d'eau et portez à ébullition. Une fois l'ébullition atteinte, réduisez le feu, couvrez la cocotte et laissez mijoter, à feu doux, pendant 2 h 30. La viande doit être réduite en compote.

2. Un peu avant la fin de la cuisson du porc, pelez les mangues et coupez-les en lamelles de chaque côté du noyau. Faites fondre le beurre dans la poêle, ajoutez les lamelles de mangue et le sucre de canne et faites revenir, à feu doux, pendant 10 min, en remuant de temps à autre.

3. Retirez les os et le bâton de cannelle de la cocotte, mettez la « compote de porc » sur un plat et entourez-la des lamelles de mangue. Servez aussitôt.

RIZ AUX HARICOTS ROUGES

 4 | **TREMPAGE** **12 h** | **PRÉPARATION** **10 min** | **CUISSON** **55 min** |

MATÉRIEL
Marmite

INGRÉDIENTS

150 g de haricots rouges • 1 feuille de laurier • 4 branches de persil plat • 1 branche de thym • 1 oignon piqué de 2 clous de girofle • 250 g de riz • 2 cuil. à soupe d'huile • 3 pincées de sel

1. La veille : lavez les haricots rouges et mettez-les à tremper pendant au minimum 12 h.

2. Le jour même : lavez les herbes. égouttez les haricots rouges, mettez-les dans la marmite, couvrez-les très largement d'eau froide, ajoutez les herbes entières et l'oignon piqué des 2 clous de girofle. Amenez à ébullition. Au bout de 45 min de cuisson, vérifiez la cuisson des haricots. Il suffit pour cela d'écraser un haricot entre vos doigts, il ne doit pas être dur et doit opposer une légère résistance à cœur.

3. Enlevez les herbes épuisées de la marmite ainsi que l'oignon. Ajoutez le riz, l'huile et le sel, et poursuivez la cuisson, à feu vif, pendant 10 min. Couvrez la marmite et arrêtez le feu. Laissez reposer ainsi, le riz et les haricots vont continuer à cuire sans se dessécher ou brûler.

CONSEILS
Attention, les haricots ne doivent pas être réduits en purée, ils seraient trop cuits pour être mélangés au riz. Ne salez qu'au moment où vous ajoutez le riz afin de ne pas durcir les haricots.

RIZ AUX POIS D'ANGOLE À L'HAÏTIENNE

6 | **PRÉPARATION** **10 min** | **CUISSON** **1 h** |

MATÉRIEL
Cocotte • Passoire

INGRÉDIENTS

3 cives (ciboules) • 1 gousse d'ail • 1 branche de thym frais • 1 branche de persil • 500 g de pois d'angole congelés • 1 boîte de lait de coco de 40 cl • 1 bouteille de 1 litre d'eau de source • 300 g de riz basmati • 2 cuil. à soupe d'huile • Sel

1. Épluchez les cives et l'ail. Lavez le thym et le persil. Versez l'huile dans la cocotte et ajoutez la gousse d'ail, les cives, le thym et le persil. Faites revenir le tout, à feu moyen, pendant 5 min.

2. Rincez sous l'eau les pois d'angole congelés et égouttez-les. Ajoutez-les ensuite dans la cocotte et faites de nouveau revenir le tout pendant 5 min. Versez le lait de coco, mélangez à l'aide d'une cuillère de bois, et faites revenir 10 min en remuant de temps à autre. Mouillez le mélange avec le litre d'eau de source et laissez cuire, à feu moyen, pendant 20 min.

3. Lavez le riz basmati et égouttez-le. Ajoutez-le ensuite à la préparation, salez et mélangez. Portez à ébullition puis réduisez le feu et laissez cuire, pendant encore 20 min, à feu moyen. Servez chaud, en accompagnement d'un plat de poisson ou d'une viande en sauce.

CONSEILS
Les poids d'angole s'achètent dans une épicerie antillaise. Pour ce type de recette, l'eau de source donnera un bien meilleur goût à votre plat que l'eau du robinet.

POTÉE ANTILLAISE

 6 à 8

TREMPAGE	PRÉPARATION	CUISSON	INFUSION	MATÉRIEL
2 h	**40 min**	**2 h 10**	**15 min**	Moule à tarte • Papier sulfurisé

INGRÉDIENTS

1 jambonneau de porc demi-sel de 700 g • 700 g de palette de porc demi-sel • 1 kg de travers de porc demi-sel • 300 g de lard fumé • 1 oignon • 1 petit chou vert • 1 igname • 4 petites patates douces ou 2 grosses • 6 bananes vertes (ti-nain) • 8 carottes • 4 navets • 2 bananes plantain • 2 citrons verts • 1 feuille de laurier • 2 branches de thym frais • 1 cuil. à café de poivre noir en grains • 1 cuil. à café de baies de genièvre • 2 clous de girofle • Sel, poivre noir **Pour la sauce :** 6 cives • 2 échalotes • ½ botte de persil plat • 1 piment antillais • 5 cuil. à soupe d'huile d'olive

1. Mettez les 3 viandes à tremper dans de l'eau froide pendant 2 h. Rincez-les et égouttez-les. Coupez le lard en morceaux.

2. Pelez les légumes. Piquez l'oignon des clous de girofle. Lavez le chou, retirez le trognon et les grosses côtes, et coupez-le en quatre. Coupez l'igname en 4 ou 5 grosses tranches ; laissez les patates douces entières ou coupez-les en morceaux, selon leur taille. Pelez les bananes vertes et gardez-les entières. Rincez l'igname, les patates et les bananes vertes sous l'eau froide, frottez-les avec des demi-citrons puis réservez-les dans une jatte d'eau froide. Faites blanchir les quartiers de chou 10 min dans une eau bouillante non salée.

3. Dans le faitout, mettez les viandes, lardons, navets, carottes, poivre en grains, genièvre, thym, laurier et oignon, couvrez d'eau et laissez cuire 1 h 30 à petite ébullition, en écumant régulièrement.

4. Lavez les bananes plantain, ne les pelez pas. Tranchez les extrémités et coupez chaque banane en deux. Ajoutez le chou, l'igname, les bananes et les patates douces dans le faitout. Faites cuire 30 min à feu moyen. Vérifiez la cuisson : un couteau pointu planté dans les ignames, patates douces et bananes doit s'enfoncer facilement.

5. Préparez la sauce : épluchez les cives et les échalotes, lavez le persil. Hachez finement le tout. Enfilez les gants puis prélevez et hachez menu le quart du piment. Mettez ces ingrédients dans une jatte et versez dessus 2 louches de l'eau de cuisson de la potée. Fouettez le tout et, au besoin, rectifiez l'assaisonnement. Laissez infuser 15 min à couvert. Ajoutez l'huile. Disposez les viandes sur un plat, entourées des légumes et tubercules, et servez avec la sauce.

POULET PANÉ CRÉOLE

 MARINADE | **PRÉPARATION** | **CUISSON**
1 h | **20 min** | **10 min**

MATÉRIEL

Presse-citron • Friteuse • Papier absorbant

INGRÉDIENTS

3 citrons verts • 4 à 6 blancs de poulet (selon grosseur) • 1 gros œuf • 3 cuil. à soupe de farine • 200 g de chapelure • 2 pincées de piment de Cayenne • Huile pour friture • Sel, poivre

1. Pressez 2 citrons verts. Mettez les blancs de poulet dans un plat creux. Salez, poivrez et pimentez. Versez le jus de citron et laissez mariner au frais, pendant 1 h, en retournant les blancs plusieurs fois.

2. À l'aide d'une fourchette, fouettez l'œuf dans une assiette. Mettez la farine et la chapelure dans 2 autres assiettes. Égouttez les blancs de poulet et passez-les successivement dans la farine, puis dans l'œuf, et enfin dans la chapelure.

3. Faites chauffer l'huile à 170 °C et plongez-y les blancs de poulet, laissez frire 10 min : les blancs doivent être bien dorés. Égouttez-les sur du papier absorbant.

4. Disposez les blancs sur un plat de service chaud entourés du dernier citron coupé en rondelles et de frites de fruit à pain (voir recette p. 74).

POULET EN CRAPAUDINE

 PRÉPARATION **15 min** | **MARINADE** **2 h** | **CUISSON** **1 h** |

MATÉRIEL

Planche à découper • Ciseaux à volaille • Gants en plastique jetables

INGRÉDIENTS

1 gros poulet fermier de 1,8 kg environ • Le jus de 3 citrons verts • 1 piment antillais • 1 cuil. à soupe de fleur de sel

1. Ne fendez pas la volaille de façon classique : posez-la sur la planche à découper avec les blancs en appui sur la planche. Fendez le poulet par le dos en partant du niveau des ailes pour arriver jusqu'au croupion. Faites-le à l'aide des ciseaux à volaille, c'est beaucoup plus facile. Du plat de la main, aplatissez la volaille, vous lui ferez ainsi craquer les os ; frottez le poulet de toutes parts avec le sel.

2. Posez le poulet sur la plaque de cuisson du four et arrosez-le du jus des citrons verts. Laissez-le mariner sur la plaque de cuisson pendant 2 h en ayant soin de le retourner de temps à autre ou tout au moins deux fois.

3. Préchauffez le four à 180 °C (th. 6). Enlevez le poulet de la plaque et récupérez le jus de la marinade dans un bol. Ajoutez une louche d'eau dans le bol : vous vous servirez de cette sauce pour arroser le poulet en cours de cuisson.

4. Enfournez le poulet pour 1 h de cuisson. Arrosez-le régulièrement de la marinade que vous avez allongée d'eau. Laissez reposer le poulet dans le four éteint durant 15 min avant de le servir.

5. Enfilez les gants en plastique et hachez le piment antillais très menu ; servez-le à part, dans une petite coupelle. Prévenez bien les convives : le piment antillais est très fort.

PURÉE
DE PATATES DOUCES

PRÉPARATION
10 min

CUISSON
25 min

MATÉRIEL

Marmite • Écumoire • Moulin à légumes

INGRÉDIENTS

1 kg de patates douces • 3 cuil. à soupe d'huile d'olive • 1 cuil. à café de sel

1. Pelez et coupez les patates douces en petits morceaux, puis mettez-les à cuire pendant 25 min dans une marmite d'eau bouillante salée.

2. Retirez les morceaux de patates douces de la marmite à l'aide de l'écumoire, ne jetez pas l'eau de cuisson, puis passez-les au moulin à légumes. Ajoutez l'huile d'olive à la purée obtenue et mélangez. Si la purée vous paraît trop épaisse, ajoutez-lui un peu d'eau de cuisson chaude, jusqu'à ce que vous obteniez la consistance désirée, cependant ne la faites pas trop liquide. Goûtez, rectifiez l'assaisonnement en sel, si nécessaire, et servez chaud.

PURÉE D'IGNAMES GRATINÉE

8 | **PRÉPARATION** 30 min | **CUISSON** 40 min

MATÉRIEL

Marmites • Moulin à légumes • Plat à gratin

INGRÉDIENTS

1,5 kg d'ignames à chair blanche • Le jus de 1 citron • 75 cl de lait • 250 g de beurre • 4 œufs • 250 g d'emmental râpé • Sel

1. Épluchez généreusement les ignames à l'aide d'un couteau, lavez-les, coupez-les en morceaux et citronnez-les. Faites-les cuire à l'eau bouillante salée pendant 25 min. Maintenez les ignames au chaud, sur un feu très doux, durant tout le temps de préparation de la purée.

2. Amenez le lait à ébullition dans une marmite. Dès que le lait bout, baissez le feu, ajoutez le beurre et maintenez ce mélange sur un feu très doux. Posez le moulin à légumes muni de la grosse grille au-dessus de la marmite. Passez les morceaux d'igname, un à un, dès que vous les sortez de l'eau chaude, sans les égoutter. Mélangez au fur et à mesure les ignames pressées avec le lait à l'aide d'une cuillère de bois. Goûtez et, au besoin, rectifiez l'assaisonnement en sel.

3. Passez ensuite la purée obtenue au moulin à légumes équipé cette fois de la grille fine. Battez les œufs en omelette et incorporez-les à la purée avec 150 g d'emmental râpé.

4 Préchauffez le four à 200 °C (th. 6-7). Étalez la préparation dans le plat à gratin, puis parsemez-la du reste de fromage râpé. Faites gratiner 15 min au four. Servez aussitôt.

CONSEIL

La purée d'ignames est délicieuse, elle n'a qu'un seul défaut : elle durcit très vite en refroidissant. Si vous deviez la faire attendre, ajoutez-lui 30 à 40 g de beurre et prévoyez un bain-marie dans lequel vous laisserez la purée jusqu'au moment de servir.

RIZ À LA MORUE

PRÉPARATION
15 min

CUISSON
45 min

MATÉRIEL

Marmite • Passoire • Grande sauteuse • Gants en plastique jetables

INGRÉDIENTS

600 g de morue salée séchée • 3 branches de thym • 3 branches de persil • 300 g de tomates • 300 g de petites bélangères (aubergines) • 1 oignon • 5 cives • 2 gousses d'ail • 300 g de riz rond • ¼ de piment antillais • 4 cuil. à soupe d'huile d'olive • Sel, poivre

1. Immergez la morue dans une marmite d'eau froide, portez le tout à la limite de l'ébullition. Faites pocher la morue 3 min dans l'eau à peine frémissante ; répétez l'opération deux fois de plus, toujours en partant d'une eau complètement froide, votre morue sera parfaitement dessalée et prête à l'emploi.

2. Débarrassez la morue de sa peau et de ses arêtes, et effeuillez-la sans trop l'émietter ; laissez égoutter dans la passoire posée au-dessus d'un saladier.

3. Lavez le thym et le persil, séchez-les, hachez-les finement. Coupez les tomates en quatre, lavez les aubergines, coupez-les en rondelles et réservez.

4. Pelez l'oignon, les cives et l'ail, et émincez-les finement. Faites chauffer 3 cuil. à soupe d'huile dans la sauteuse et faites revenir le tout, à feu doux, pendant 3 min, en remuant de temps à autre à l'aide d'une cuillère de bois.

5. Ajoutez les légumes, le thym et le persil et faites revenir l'ensemble 5 min de plus. Ajoutez la morue égouttée et le riz, et faites revenir encore de 5 à 7 min en remuant sans cesse. Lorsque le riz est devenu translucide, salez, poivrez, ajoutez le morceau de piment et couvrez le tout de 60 cl d'eau. Amenez à ébullition, puis réduisez le feu et laissez cuire, à feu doux et à couvert, pendant 20 min, jusqu'à ce que l'eau soit complètement absorbée. Servez chaud, arrosé d'un filet d'huile d'olive.

CONSEIL

Il vaut mieux utiliser une sauteuse à fond très large pour une meilleure répartition de la chaleur, de cette façon le riz cuira uniformément.

SOUFFLÉ DE PAPAYE VERTE

 8 PRÉPARATION
25 min | CUISSON
40 min |

MATÉRIEL

Moule à soufflé de 20 cm de diamètre • Presse-ail • Moulin à légumes • Tamis

INGRÉDIENTS

1 kg de papayes vertes • 2 gousses d'ail • 60 g de beurre + beurre pour le moule • 50 g de farine + 2 cuil. à soupe pour le moule • 1 pincée de noix muscade râpée • 50 cl de lait • 5 œufs • 100 g de gruyère râpé • Sel, poivre noir

1. Coupez les papayes en quatre, épépinez-les et pelez-les. Recoupez chaque quartier en tranches et plongez ces tranches 12 min dans de l'eau bouillante salée pour les blanchir ; égouttez-les. Épluchez l'ail et écrasez-le au presse-ail ; réservez.

2. Préparez une béchamel : dans une casserole, mettez le beurre, la farine, du sel, du poivre et la noix muscade. Placez la casserole sur un feu doux, mélangez doucement avec une cuillère de bois. Lorsque le mélange commence à mousser, versez le lait, petit à petit, sans cesser de tourner et arrêtez la cuisson juste au moment de l'ébullition, mais continuez à tourner encore 30 sec. Ajoutez l'ail écrasé.

3. Passez les papayes au moulin à légumes et faites égoutter la purée obtenue sur le tamis pour en éliminer l'excédent d'eau.

4. Préchauffez le four à 180 °C (th. 6). Cassez les œufs en séparant les blancs des jaunes. Ajoutez les jaunes d'œufs à la purée de papayes ainsi que le fromage râpé et la béchamel. Rectifiez au besoin l'assaisonnement.

5. Fouettez les blancs en neige ferme avec une pincée de sel et ajoutez-les à la préparation en soulevant délicatement la masse avec une spatule. Versez la préparation dans le moule à soufflé beurré et fariné. Glissez le moule dans le four et faites cuire 30 min sans ouvrir la porte du four. Servez aussitôt dans le moule de cuisson.

SOUPE À CONGO VÉGÉTARIENNE

 PRÉPARATION 30 min | **CUISSON** 1 h 20 |

MATÉRIEL
Cocotte

INGRÉDIENTS

500 g d'igname • 200 g de manioc • 2 bananes vertes • 1 patate douce • 500 g de pois d'angole (ou pois-congos) • 100 g de potiron • 5 gombos • 2 carottes • 1 poireau • 1 navet • ¼ de chou • 1 piment antillais • 3 cuil. à soupe d'huile d'arachide • 2 cuil. à café de sel

1. Épluchez tous les légumes, excepté les gombos qui n'en ont pas besoin. Lavez les légumes et coupez-les en cubes de 2 cm de côté environ.

2. Mettez l'huile à chauffer dans la cocotte. Faites-y revenir les légumes doucement, une catégorie après l'autre, sans oublier les gombos. Réservez-les au fur et à mesure dans un grand récipient. Chaque légume cuisant 2 à 3 min, cette étape vous prendra de 20 à 25 min en tout. Faites tout cela sur un feu moyen, tout en remuant les légumes à l'aide d'une spatule en bois.

3. Mettez les pois d'angole dans la cocotte et couvrez-les de 2 litres d'eau. Portez à ébullition puis laissez cuire pendant 30 min. Réduisez le feu, ajoutez alors tous les légumes et laissez cuire à petits frémissements 5 min de plus.

4. Ajoutez dans la cocotte le sel, le piment antillais entier avec son pédoncule et parfaitement intact, puis poursuivez la cuisson pendant 15 min. Goûtez et rectifiez l'assaisonnement si nécessaire.

CONSEILS
On sale en fin de cuisson, lorsque les pois d'angole sont pratiquement cuits. Choisissez des pois d'angole frais, ils sont plus faciles à cuisiner ; les pois secs nécessitent un trempage de 12 h avant cuisson. On trouve des pois d'angole, secs ou congelés, dans les épiceries antillaises.

SPAGHETTIS CRÉOLES

 PRÉPARATION | **CUISSON**
10 min | **50 min**

MATÉRIEL
Sauteuse

INGRÉDIENTS

400 g de tomates • 1 courgette • 2 gousses d'ail • 1 oignon • 1 petit piment oiseau • 300 g d'échine de porc hachée • 1 cuil. à café de curry • 400 g de spaghettis • 2 cuil. à soupe d'huile d'olive • Sel, poivre

1. Plongez les tomates 1 min dans de l'eau bouillante. Égouttez-les, pelez-les, épépinez-les et coupez-les en petits dés.

2. Lavez et essuyez la courgette, coupez-la en petits dés. Pelez l'ail, ôtez-en le germe et coupez-le en fines lamelles. Pelez et émincez l'oignon. Hachez le piment oiseau.

3. Dans la sauteuse, faites chauffer l'huile à feu moyen, ajoutez le porc haché, les légumes, l'oignon et l'ail, faites revenir 10 min en remuant puis versez 15 cl d'eau. Salez, poivrez, ajoutez le curry et le piment. Couvrez la sauteuse et laissez mijoter pendant 40 min.

4. Environ 15 min avant la fin de la cuisson de la viande, portez à ébullition une grande casserole d'eau salée. Versez les spaghettis et faites-les cuire *al dente*. Égouttez les spaghettis et mélangez-les à la sauce de la viande. Servez aussitôt.

CONSEIL
Il est important de mélanger les spaghettis à la sauce, et non le contraire, pour que le plat reste bien chaud.

THAZARD
À LA CRÈME D'AIL

 MARINADE **1 h** | **PRÉPARATION** **20 min** | **CUISSON** **25 min**

MATÉRIEL

Presse-ail • Presse-citron • Gants en plastiques jetables • Casserole • Mixeur

INGRÉDIENTS

1 kg de thazard • 10 gousses d'ail • 3 citrons verts • ¼ de piment antillais • 30 g de beurre • 20 cl de crème fraîche • Sel, poivre (noir ou blanc)

1. Lors de l'achat, demandez au poissonnier de couper le thazard en 4 grosses darnes.

2. Pelez 2 gousses d'ail et écrasez-les au presse-ail au-dessus d'un plat creux. Pressez les citrons verts et versez le jus dans le plat ; salez, poivrez et ajoutez le piment tel quel, puis les darnes de poisson. Faites mariner 1 h en retournant les darnes toutes les 15 min.

3. Épluchez les 8 gousses d'ail restantes et faites-les cuire 5 min à petits bouillons dans une casserole d'eau. Égouttez-les. Faites-les ensuite revenir 10 min dans le beurre sans laisser l'ail se colorer. Ajoutez la crème fraîche, salez et poivrez. Amenez à ébullition et retirez aussitôt la casserole du feu. Mixez en crème et gardez au chaud.

4. Retirez les darnes de poisson de la marinade, essuyez-les et faites-les cuire 8 min sous le gril du four en les retournant à mi-cuisson. Mettez-les sur un plat chaud et servez la crème d'ail dans un ramequin à part.

CONSEIL

Le thazard est un gros poisson à chair blanche que l'on trouve assez difficilement en France. Vous pouvez le remplacer par le vivaneau ou le thon. Le mérou ou certains petits poissons, tels que les daurades grises ou roses, peuvent également convenir.

THON AUX CIVES, AIL ET GINGEMBRE

 PRÉPARATION 15 min | **CUISSON** 40 min |

MATÉRIEL

Presse-ail • Presse-citron • Poêle • Passoire

INGRÉDIENTS

1 pièce de thon de 1 kg • 1 botte de cives ou de ciboules • 5 gousses d'ail • 1 tronçon de racine de gingembre frais de 10 cm • 2 citrons verts • 15 cl d'huile d'olive • Sel

1. Demandez au poissonnier de retirer l'arête, la peau et le centre noir de la pièce de thon, et de la couper en 4 beaux morceaux.

2. Pelez les cives, l'ail et le gingembre. Lavez les cives et coupez-les en deux dans la longueur, retirez le germe des gousses d'ail et coupez-les en lamelles ainsi que le gingembre. Pressez les citrons verts.

3. Dans la poêle, faites « mariner » au chaud l'ail, le gingembre et les cives dans l'huile d'olive, c'est-à-dire faites-les cuire à feu extrêmement doux afin que ces ingrédients s'imprègnent d'huile sans frire ni dorer. Cette cuisson doit durer au moins 35 min. Au bout de ce laps de temps, tous les ingrédients doivent être complètement

translucides. Si vous avez l'impression qu'ils manquent de cuisson, augmentez le feu et faites cuire 5 min de plus en tournant constamment pour ne pas les brûler. Vous obtenez une huile très parfumée et très goûteuse ; filtrez-la et reversez-la dans la poêle. Mettez les herbes de côté, dans un bol.

4. Faites chauffer l'huile parfumée et mettez-y les morceaux de thon à cuire, 2 min de chaque côté. En fin de cuisson, déglacez la poêle avec le jus de citron. Mettez les steaks de thon sur un plat et arrosez-les de l'huile citronnée. Servez aussitôt, accompagné d'un riz blanc ou d'une salade de christophines cuites. Vous pouvez présenter les herbes aromatiques comme accompagnement.

CONSEIL

Si vous ne trouvez pas de cives, vous pouvez utiliser des oignons nouveaux en gardant la partie tendre de la tige.

TRAVERS DE PORC

 4 MARINADE **12 h** | PRÉPARATION **20 min** | CUISSON **25 min**

MATÉRIEL

Presse-citron • Gants en plastique jetables pour manipuler le piment

INGRÉDIENTS

1,5 kg de travers de porc • 2 citrons verts • ½ tête d'ail • 20 cl de bière blonde •
1 ou 2 cuil. à soupe de sucre de canne roux en poudre • ¼ de piment antillais •
1 cuil. à café de poivre noir en grains • 1 cuil. à café de sel

1. La veille : coupez le travers de porc en morceaux, entre les os. Pressez les citrons verts. Pelez et écrasez l'ail. Disposez les morceaux viande dans un plat creux. Mélangez l'ail, le jus de citron, la bière, le sel, le poivre et le morceau de piment. Versez sur la viande et laissez mariner au frais, pendant 12 h, en retournant plusieurs fois les morceaux de travers pour bien les imprégner de la marinade.

2. Le jour même : faites chauffer le gril du four. Retirez les morceaux de travers de la marinade et égouttez-les soigneusement. Posez ces morceaux sur la plaque de cuisson du four, parsemez-les de l'ail de la marinade et de sucre de canne.

3. Positionnez la plaque aux deux tiers de la hauteur du four et faites griller pendant 10 min. Puis réglez le thermostat à 240 °C (th. 8) et poursuivez la cuisson au four, 5 min d'un côté, puis encore 10 min, après avoir retourné la viande. Servez aussitôt.

CONSEIL

Vous pouvez servir les travers de porc seuls ou accompagnés de frites de patate douce (voir recette p. 75).

VELOUTÉ DE COURGETTES & LENTILLES CORAIL AU COLOMBO

 PRÉPARATION 10 min | **CUISSON** 25 min |

MATÉRIEL
Marmite • Cuillère à moka • Mixeur

INGRÉDIENTS
4 branches de persil • 1 branche de thym • 1 kg de courgettes • 200 g de lentilles corail • 1 gousse d'ail • 2 cuil. à soupe rases de curry en poudre • Sel, poivre du moulin

1. Lavez le persil, le thym et les lentilles corail. Lavez les courgettes, coupez-les en gros dés et mettez-les dans la marmite avec les lentilles corail, le persil, le thym, l'ail pelé, 1 cuil. à moka de sel, le curry et 20 cl d'eau. Portez le tout à ébullition, puis laissez cuire à feu moyen pendant 25 min.

2. Retirez la branche de thym de la marmite, et jetez-la ; passez la préparation au mixeur de façon à obtenir un mélange bien lisse et velouté. Donnez 3 tours de moulin à poivre, mélangez de nouveau et servez bien chaud. Cette recette est aussi délicieuse que facile !

DESSERTS

BABA AU RHUM
AUX FRUITS DE LA PASSION

 6 à 8

PRÉPARATION
20 min

CUISSON
30 min

REPOS DE LA PÂTE
2 h 40

MATÉRIEL
Moule à savarin de
26 cm de diamètre •
Casseroles •
Passoire

INGRÉDIENTS

Pour le baba : 8 cuil. à soupe de lait • 25 g de levure de boulanger fraîche •
250 g de farine • 2 cuil. à soupe de sucre de canne roux en poudre • Le zeste râpé fin
de 1 citron vert • 3 œufs • 100 g de beurre ramolli + beurre pour le moule
Pour le sirop : 6 fruits de la Passion • 300 g de sucre de canne roux en poudre •
Le zeste râpé fin de 1 citron vert • 1 bâton de cannelle • 10 cl de rhum blanc

1. Faites tiédir le lait et émiettez la levure
dans le lait tiède. Dans une jatte, versez
la farine, ménagez un puits au centre
où vous ajoutez le sucre, le zeste de citron,
les œufs, le beurre détaillé en petits
morceaux et la levure délayée. Travaillez
les ingrédients en partant du puits vers
le bord de la jatte jusqu'à ce que la pâte
soit luisante et homogène. Laissez-la
reposer pendant 10 min.

2. Beurrez le moule à savarin et remplissez-
le de pâte aux deux tiers. Couvrez le moule
d'un linge et laissez reposer, pendant 2 h,
à l'abri des courants d'air et dans un endroit
tiède. La pâte doit remplir le moule.

3. Préchauffez le four à 210 °C (th. 7).
Creusez légèrement la pâte avec les doigts
pour en chasser l'air et laissez-la reposer
30 min dans un endroit tiède. Glissez le

moule dans le four et faites cuire 30 min.
Démoulez chaud et laissez refroidir sur
une grille.

4. Pendant la cuisson du savarin, coupez
en deux les fruits de la Passion et mettez
la pulpe dans un bol. Dans une casserole,
portez à ébullition 25 cl d'eau. Versez l'eau
bouillante sur la pulpe, couvrez et laissez
infuser 15 min. Tamisez ce liquide au-dessus
d'une casserole pour éliminer les graines et
versez 25 cl d'eau. Ajoutez le sucre, le zeste
de citron et le bâton de cannelle. Portez
à ébullition et amenez à la consistance
d'un sirop en tournant avec une cuillère de
bois. Filtrez le sirop. Ajoutez le rhum hors
du feu. Posez le baba sur le plat de service
et imbibez-le doucement du sirop chaud.
Récupérez le sirop qui reste dans le plat
pour le reverser sur le baba jusqu'à ce que
ce dernier soit parfaitement imbibé.

CONSEIL
Vous pouvez garnir le centre du baba de crème Chantilly.

BEIGNETS DE MARDI GRAS D'HÉLÈNE

 45 beignets

PRÉPARATION
15 min

CUISSON
25 à 30 min

REPOS
1 h

MATÉRIEL
Casserole • Friteuse • Écumoire • Papier absorbant

INGRÉDIENTS
Le zeste de 1 citron • 1 gousse de vanille • 50 g de beurre • 5 cl de rhum • 1 cuil. à café d'essence d'amande amère • 300 g de farine • 5 œufs • Huile pour friteuse • Sucre cristallisé • Sel

1. Versez 35 cl d'eau dans la casserole, ajoutez le sel et le zeste de citron. Fendez la gousse de vanille en deux, grattez-la pour récupérer toutes les graines et mettez-les ainsi que la gousse évidée dans la casserole. Amenez le tout à ébullition. Maintenez l'ébullition à feu vif, pendant 10 min, pour bien parfumer l'eau.

2. Retirez le zeste de citron et la gousse de vanille de la casserole. Ajoutez le beurre, le rhum et l'essence d'amande amère dans la décoction bouillante. Remuez à l'aide d'une cuillère de bois jusqu'à ce que le mélange soit homogène. Stoppez la cuisson. Hors du feu, ajoutez la farine d'un seul coup dans la casserole. Travaillez le tout très énergiquement jusqu'à ce que la pâte se détache des parois de la casserole. Laissez reposer jusqu'à complet refroidissement.

3. Remettez la casserole sur le feu et remuez la pâte jusqu'à ce qu'elle se détache de la casserole. Incorporez alors les œufs, l'un après l'autre, en battant entre chaque. Il faut que chaque œuf soit complètement incorporé avant d'ajouter le suivant.

4. Faites chauffer l'huile à 160 °C dans la friteuse. Faites frire les beignets 5 min dans l'huile chaude en les retournant à mi-cuisson à l'aide de l'écumoire. Retirez les beignets et épongez-les délicatement sur du papier absorbant. Servez-les, légèrement saupoudrés de sucre cristallisé.

BEIGNETS DE BANANES

**PRÉPARATION
10 min** | **CUISSON
3 min** |

MATÉRIEL
Presse-citron • Fouet électrique • Friteuse • Papier absorbant

INGRÉDIENTS
5 bananes mûres mais fermes • 150 g de farine • ½ paquet de levure chimique •
½ citron vert • 180 g de sucre de canne en poudre • 3 œufs • 1 litre d'huile pour friture •
1 pincée de sel

1. Pelez les bananes et ôtez-en les petits filaments. Mettez les bananes dans une jatte et écrasez-les à la fourchette. Pressez le demi-citron.

2. Mélangez la farine et la levure. Ajoutez aux bananes le jus de citron, 80 g de sucre de canne et la farine. Mélangez bien tous ces ingrédients.

3. Cassez les œufs en séparant les blancs des jaunes. Incorporez les jaunes à la pâte.

4. Fouettez les blancs d'œufs en neige ferme avec la pincée de sel. Incorporez-les délicatement à la pâte en soulevant la masse

avec une spatule. Si la pâte vous semble trop liquide, incorporez doucement un peu de farine mais cette pâte à beignets ne doit pas être trop compacte.

5. Faites chauffer l'huile à 150 °C dans la friteuse. Faites tomber des petites cuillerées de pâte dans l'huile et laissez cuire les beignets pendant environ 3 min : ils doivent être bien dorés. Égouttez-les sur du papier absorbant. Servez ces beignets chauds ou tièdes, saupoudrés de sucre de canne.

BLANC-MANGER AU COCO

 PRÉPARATION 15 min | **RÉFRIGÉRATION** 12 h |

MATÉRIEL
Casserole • Mixeur

INGRÉDIENTS
9 feuilles de gélatine de 2 g • 1 boîte de lait de coco de 40 cl • 1 boîte de lait concentré sucré • 2 gousses de vanille

1. Commencez par faire ramollir les feuilles de gélatine en les mettant à tremper 15 min dans un bol d'eau froide.

2. Faites chauffer 40 cl d'eau dans la casserole jusqu'à frémissement, retirez la casserole du feu et ajoutez la gélatine bien essorée. Faites fondre la gélatine complètement dans l'eau.

3. Versez le mélange obtenu dans le bol du robot, ajoutez le lait de coco, le lait concentré et mixez le tout jusqu'à ce que la gélatine soit bien incorporée.

4. Fendez les gousses de vanille en deux et grattez bien l'intérieur pour récupérer toutes les graines. Ajoutez les graines de vanille dans le robot et mixez de nouveau. Versez le mélange dans une jatte et faites prendre au réfrigérateur pendant 12 h.

CONSEILS
Vous pouvez servir ce blanc-manger accompagné d'un coulis de fruits de la Passion (voir recette du crumble aux mangues p. 126) ou de mangues…

CONFITURE DE PATATES DOUCES AUX BANANES PLANTAIN & AUX PRUNEAUX

 PRÉPARATION | **CUISSON**
5 min | 14 min

MATÉRIEL
Bassine à confiture • Pots à couvercle • Passoire

INGRÉDIENTS
300 g de pruneaux dénoyautés • 600 g de patates douces • 2 grosses bananes plantain • 1 kg de sucre de canne roux en poudre • Le zeste de 1 citron vert • 1 cuil. à soupe de rhum brun • 1 bâton de cannelle

1. Faites tremper les pruneaux 30 min dans de l'eau chaude ou du thé. Égouttez-les.

2. Épluchez les patates et les bananes, coupez les patates douces en dés et les bananes plantain en rondelles.

3. Dans la bassine à confiture, mettez le sucre, le zeste de citron, le rhum, le bâton de cannelle et 60 cl d'eau. Portez à ébullition avant d'ajouter les rondelles de bananes. Portez de nouveau à ébullition et faites bouillir 10 min avant d'ajouter les dés de patates douces. Faites cuire encore 20 min puis ajoutez les pruneaux et faites cuire de nouveau 10 min. En fin de cuisson, retirez la cannelle.

4. Lavez des pots à couvercle à l'eau très chaude et essuyez-les. Versez la confiture bouillante dans les pots, vissez les couvercles et retournez les pots. Laissez complètement refroidir avant de remettre les pots sur leur base. Gardez à l'abri de la lumière. Vous pouvez servir cette confiture tiède, en dessert.

banane plantain
patate douce

CRUMBLE AUX MANGUES AU COULIS DE FRUITS DE LA PASSION

 PRÉPARATION **10 min** | **REPOS** **20 min** | **CUISSON** **30 min** |

MATÉRIEL
Poêle • Plat à gratin

INGRÉDIENTS
6 belles mangues mûres mais bien fermes • 50 g de beurre • 3 cuil. à soupe rases de sucre de canne • 1 gousse de vanille **Pour la pâte à crumble** : 300 g de farine • 200 g de sucre de canne • 150 g de beurre • 1 pincée de sel **Pour le coulis de fruits de la Passion** : 1 kg de fruits de la Passion • Le jus de 1 orange • 100 g de sucre

1. Préparez la pâte à crumble : dans une jatte, frottez entre vos mains la farine, le sucre, le sel et le beurre coupé en petits morceaux, de façon à obtenir un mélange de grumeaux réguliers, un peu comme du sable. Réservez.

2. Préchauffez le four à 210 °C (th. 7). Pelez et dénoyautez les mangues, coupez leur chair en petits dés. Mettez les dés de mangue dans la poêle avec le beurre et le sucre. Fendez la gousse de vanille et grattez-la avec un couteau pour en récupérer toutes les graines. Ajoutez les graines et la gousse évidée dans la poêle, et mélangez bien le tout. Laissez en attente pendant 20 min.

3. Au bout de ce temps, faites chauffer le tout à feu moyen durant 10 min en remuant de temps à autre. Mettez la préparation obtenue dans le plat à gratin, parsemez-la de pâte à crumble et enfournez pour 20 min de cuisson.

4. Pendant ce temps, préparez le coulis : coupez les fruits de la Passion en deux et récupérez toute la pulpe des fruits. Mettez 25 cl d'eau à bouillir dans une casserole avec le sucre pendant 1 à 2 min.

5. Hors du feu, ajoutez le jus d'orange et la pulpe des fruits, mélangez bien le tout, votre coulis est prêt ! Servez-le en accompagnement du crumble aux mangues.

CONSEILS
Surtout ne filtrez pas le coulis, il est meilleur et tellement plus beau !

BISCUIT ROULÉ À LA CONFITURE DE MANGUES ET FRUITS DE LA PASSION

 8

PRÉPARATION
15 min

CUISSON
10 à 12 min

RÉFRIGÉRATION
2 h

MATÉRIEL
Tamis • Fouet électrique • Papier sulfurisé • Torchon propre • Pinceau de cuisine

INGRÉDIENTS

80 g de confiture de mangues • 80 g de confiture de fruits de la Passion • 1 cuil. à soupe de rhum • 2 gousses de vanille • 50 g de farine • 55 g de fécule de pomme de terre • 6 jaunes d'œufs • 1 sachet de sucre vanillé • 5 blancs d'œufs • 80 g de sucre en poudre • 10 cl de sirop de sucre (voir conseil p. 138) • Sucre glace ou noix de coco râpée pour décorer • Sel

1. Mettez les 2 confitures dans un bol, ajoutez-leur la cuillerée de rhum et mélangez-les. Fendez et grattez bien les gousses de vanille, puis ajoutez leurs graines dans le bol avec les confitures. Mélangez bien de nouveau. Réservez.

2. Préchauffez le four à 180 °C (th. 6). Tamisez la farine et la fécule de pomme de terre. Réservez. Dans une jatte, fouettez les jaunes d'œufs avec le sucre vanillé jusqu'à l'obtention d'un mélange blanc et mousseux. Réservez.

3. Dans une autre jatte, battez les blancs d'œufs avec 1 pincée de sel au fouet électrique réglé à vitesse moyenne. Incorporez progressivement le sucre en poudre tout en continuant à fouetter. Lorsque les blancs sont en neige, mêlez-les délicatement à la préparation jaunes-sucre en les soulevant à l'aide d'une spatule. Incorporez enfin la farine et la fécule à la pâte, toujours très délicatement.

4. Étalez la pâte sur 2 cm d'épaisseur sur une plaque à pâtisserie tapissée de papier sulfurisé et enfournez pour 10 à 12 min de cuisson. Retournez le biscuit sur le torchon propre et enduisez-le du mélange de confitures à la vanille. Roulez-le en vous aidant du torchon. Coupez en biseau les extrémités du biscuit et mettez-le au réfrigérateur pendant 2 h.

5. Réchauffez le sirop de sucre et badigeonnez-en le gâteau à l'aide du pinceau. Décorez-le de sucre glace ou de noix de coco râpée.

VARIANTE

Pour varier les plaisirs, vous pouvez mettre de la confiture d'ananas, de coco, etc.

SALADE DE FRUITS

(6) PRÉPARATION **30 min** | CUISSON **1 h** |

MATÉRIEL

Tamis • Fouet électrique • Papier sulfurisé • Torchon propre • Pinceau de cuisine

INGRÉDIENTS

2 oranges • 1 petit ananas • 2 mangues mûres • ½ petite papaye mûre • 2 goyaves • 18 litchis frais • 2 citrons verts **Pour l'infusion** : 8 feuilles de citronnelle • 50 g de sucre de canne roux en poudre (facultatif)

1. Préparez l'infusion de citronnelle : hachez grossièrement les feuilles de citronnelle et mettez-les dans la casserole avec 50 cl d'eau froide. Portez à ébullition, laissez bouillir 2 min, éteignez le feu, couvrez la casserole et laissez infuser 10 min. Filtrez l'infusion, mettez-en 20 cl dans un bol, ajoutez le sucre et faites-le fondre en remuant à l'aide d'une cuillère. Laissez refroidir complètement.

2. Pelez les oranges à vif, coupez-les en rondelles et épépinez-les. Pelez l'ananas, ôtez les « yeux », coupez-le en deux et retirez la partie centrale dure. Détaillez chaque moitié en dés. Pelez les mangues,

retirez la pulpe le plus près possible du noyau et coupez-la en dés. Pelez la papaye, retirez les graines avec une petite cuillère. Épluchez les goyaves, coupez-les en deux et retirez les graines. Coupez ces 2 fruits en dés. Pelez et dénoyautez les litchis. Pressez les citrons verts.

3. Mettez tous les fruits au fur et à mesure, en les alternant, dans un saladier. Arrosez-les avec le jus de citron vert et l'infusion de citronnelle. Au besoin, mélangez très délicatement pour ne pas abîmer les dés de fruits. Gardez la salade au frais pendant au moins 1 h avant de servir.

CONSEILS

En principe, vous n'aurez pas à mélanger cette salade de fruits si vous faites bien alterner les fruits. N'oubliez pas que le sucre est en option. Si vous l'utilisez, n'en ajoutez pas un gramme de plus !

GLACE
À LA GOYAVE

POUR 11 | **PRÉPARATION 15 min** | **CONGÉLATION 30 min**

MATÉRIEL

Casserole • Fouet électrique • Mixeur • Chinois • Presse-citron • Sorbetière

INGRÉDIENTS

60 cl de lait entier • 60 g de lait en poudre • 3 jaunes d'œufs • 150 g de sucre de canne • 1,2 kg de goyaves • 1 citron vert • 30 cl de crème fleurette

1. Dans la casserole, délayez le lait en poudre avec le lait entier. Portez le tout à ébullition.

2. Dans une jatte, fouettez les jaunes d'œufs avec le sucre jusqu'à ce que le mélange pâlisse. Versez le lait dans la jatte, mélangez bien et reversez le tout dans la casserole. Mettez à cuire, sans cesser de remuer, jusqu'à ce que le mélange nappe la cuillère. Réservez.

3. Pelez les goyaves, mixez-les avec 20 cl d'eau. Passez la purée obtenue au chinois pour en éliminer les graines.

4. Mélangez la purée de goyaves avec la crème fleurette. Zestez le citron vert et ajoutez le zeste finement haché à la préparation ainsi que le jus du citron. Mélangez bien le tout et faites prendre dans une sorbetière pendant 30 min.

SOUPIRS À LA VANILLE ET AU CITRON VERT

 80 meringues

PRÉPARATION
15 min

CUISSON
3 h

MATÉRIEL

Râpe • Presse-citron • Fouet électrique • Papier sulfurisé • Poche à douille

INGRÉDIENTS

2 gousses de vanille • 2 citrons verts • 175 g de blancs d'œufs, à température ambiante • 350 g de sucre • 1 pincée de sel

1. Préchauffez le four à 120 °C (th. 4). Fendez les gousses de vanille en deux et récupérez-en les graines. Râpez le zeste des citrons verts, pressez un seul fruit. Réservez.

2. Ajoutez la pincée de sel aux blancs d'œufs, puis fouettez-les à vitesse moyenne jusqu'à ce qu'ils doublent de volume. Ajoutez alors un tiers du sucre et le jus de citron vert. Continuez à fouetter jusqu'à ce que le mélange soit brillant. Ajoutez un autre tiers de sucre, les graines des gousses de vanille et le zeste des citrons. Fouettez encore.

3. Terminez en incorporant le dernier tiers de sucre, toujours en fouettant jusqu'à ce que le mélange soit assez ferme pour former, au bout du fouet, un bec d'oiseau.

4. Recouvrez la lèchefrite du four de papier sulfurisé. Dressez les meringues en petits tas espacés à l'aide de la poche à douille et enfournez-les pour 2 h de cuisson. Ensuite, ramenez la température à 90 °C (th. 3) et laissez-les cuire 1 h de plus.

5. Sortez les meringues du four et laissez-les refroidir complètement. Bien enfermées dans une boîte hermétique, elles se conserveront parfaitement durant des semaines !

CONSEILS

Les « soupirs », c'est le nom poétique que l'on donne aux meringues en Guadeloupe. Pour bien les réussir, utilisez des blancs d'œufs maintenus à température ambiante durant au moins 2 h.
Il vaut mieux peser les blancs d'œufs, pour ensuite doubler leur poids en sucre.

TARTE AMANDINE AU COCO

8 | **PRÉPARATION**
10 min | **CUISSON**
35 min

MATÉRIEL
Moule à tarte de 30 cm de diamètre • Casserole • Papier sulfurisé

INGRÉDIENTS
1 pâte feuilletée pur beurre, prête à étaler • 150 g d'amandes effilées • 50 g de sucre de canne • 50 g de miel • 50 g de beurre • 100 g de lait de coco

1. Préchauffez le four à 200 °C (th. 6-7). Foncez le moule à tarte avec la pâte feuilletée. Piquez le fond avec les dents d'une fourchette, couvrez de papier sulfurisé et mettez par-dessus des haricots secs ou des lentilles, ceci pour empêcher la pâte de gonfler. Faites cuire 10 min au four.

2. Sortez la pâte du four, débarrassez-la des légumes secs et du papier sulfurisé et remettez-la à cuire à blanc 10 min de plus, en surveillant la cuisson. Dès que la pâte est dorée, sortez-la du four.

3. Pendant ce temps, réunissez tous les autres ingrédients dans la casserole, mélangez bien. Portez le tout à ébullition et laissez bouillir 1 à 2 min, pas plus, de façon à faire fondre le sucre et à rendre le mélange homogène.

4. Garnissez le fond de tarte du mélange que vous avez fait bouillir. Remettez au four et laissez cuire pendant 10 min. Sortez la tarte du four. Laissez tiédir avant de servir.

CONSEILS
Cette tarte est délicieuse tiède ou froide. Dégustez-la avec une bonne infusion de citronnelle… Et avouez que c'est quand même l'un des gâteaux les plus faciles à faire au monde !

PETITS CHOCO-COCO

 30 portions | **PRÉPARATION** **10 min** | **CUISSON** **12 à 15 min**

MATÉRIEL

3 plaques de 10 ou 12 empreintes de 5 cm de diamètre • Fouet à main • Tamis • Pinceau de cuisine

INGRÉDIENTS

250 g de chocolat • 180 g de beurre + beurre pour les moules • 200 g de sucre de canne • 70 g de farine + farine pour les moules • 4 œufs • 150 g de noix de noix de coco râpée + 50 g pour la décoration • 10 cl de sirop de sucre (voir conseil ci-dessous)

1. Préchauffez le four à 200 °C (th. 6-7). Mettez le chocolat à fondre au micro-ondes pendant 4 min, puis ajoutez le beurre dans le chocolat et faites fondre le tout pendant 1 min. Remuez bien à l'aide du fouet. Ajoutez le sucre, mélangez de nouveau.

2. Tamisez la farine et ajoutez-y la noix de coco râpée, mélangez bien et incorporez à la préparation. Mélangez le tout au fouet.

3. Battez les œufs en omelette dans un bol, mêlez-les à la préparation au chocolat jusqu'à ce que l'ensemble soit bien homogène. Beurrez et farinez des plaques à empreintes (ou un grand moule). Garnissez les empreintes avec la pâte.

4. Baissez la température du four à 150 °C (th. 5) et faites cuire les gâteaux pendant 12 à 15 min. Sortez-les du four et attendez au moins 10 min avant de les démouler. Les gâteaux doivent être fondants à cœur.

5. Réchauffez le sirop de sucre et badigeonnez-en les gâteaux à l'aide du pinceau. Saupoudrez-les de noix de coco râpée.

CONSEIL

Préparez une réserve de 50 cl de sirop de nappage : pour cela, versez 20 cl d'eau dans une casserole et 500 g de sucre de canne. Portez à ébullition en remuant, jusqu'à ce que le sucre soit parfaitement dissous. Retirez du feu dès l'ébullition et laissez refroidir. Utilisez la quantité nécessaire à chaque préparation.

TARTE TATIN À LA BANANE

PRÉPARATION
15 min | **CUISSON**
40 min |

MATÉRIEL

1 moule à manqué de 20 cm de diamètre

INGRÉDIENTS

8 bananes • 75 g de beurre • 80 g de sucre de canne en poudre • 1 cuil. à soupe de rhum blanc • 250 g de pâte feuilletée surgelée ou réfrigérée

1. Épluchez les bananes et retirez-en les petits filaments. Mettez le beurre et le sucre dans le moule à manqué et posez-le sur un feu moyen.

2. Une fois le beurre fondu, ajoutez les bananes et faites-les confire, à feu doux, pendant 20 min, en les retournant plusieurs fois à l'aide d'une spatule. En fin de cuisson, ajoutez le rhum et laissez tiédir.

3. Préchauffez le four à 210 °C (th. 7). Sur un plan de travail fariné, étalez la pâte en un rond d'un diamètre un peu supérieur à celui du moule. Déroulez la pâte sur les bananes et pincez la pâte tout autour en formant un ourlet.

4. Glissez le moule dans le four et faites cuire 15 min. Sortez le moule du four et attendez 2 ou 3 min avant de démouler la tarte sur le plat de service.

CONSEIL

Il est préférable de patienter un instant avant de démouler cette tarte car, à la sortie du four, le caramel encore très liquide ferait glisser les fruits avec lui.

BOISSONS

LAIT D'AVOCAT

PRÉPARATION
8 min

MATÉRIEL
6 coupes individuelles • Mixeur

INGRÉDIENTS

3 avocats de taille moyenne • 30 cl de lait entier • 1 cuil. à soupe de lait en poudre • 5 cuil. à soupe de sucre de canne • 10 glaçons

1. Coupez les avocats en deux, pelez-les et dénoyautez-les. Mettez la chair des avocats dans le bol du mixeur avec les 2 laits, le sucre et les glaçons. Mixez le tout jusqu'à ce que vous obteniez un mélange bien crémeux. Présentez la boisson dans des coupes et servez aussitôt.

CONSEIL

Pour réussir cette préparation, choisissez des avocats bien mûrs et fermes ; goûtez-les, ils doivent être onctueux et exempts d'amertume..

JUS DE COROSSOL

POUR
1 l

PRÉPARATION
10 min

MATÉRIEL
Bouteille • Mixeur • Chinois

INGRÉDIENTS

1 kg de corossol bien mûr • Le jus de 1 citron vert • 100 g de sucre (facultatif)

1. Coupez le corossol en deux, retirez-en la peau et les graines. Passez la chair du corossol au mixeur avec 50 cl d'eau. Filtrez au chinois. Si le jus est trop épais, allongez-le avec de l'eau, ajoutez le jus de citron vert et enfin le sucre. Mettez en bouteille, conservez au réfrigérateur et servez frais.

CONSEIL

Le corossol s'achète dans les épiceries antillaises, mais aussi indiennes ou asiatiques. Son goût rappelle à certains celui des lychees ou de la goyave.

CHOCOLAT CHAUD AUX ÉPICES

161

PRÉPARATION
5 min

CUISSON
15 min

INFUSION
15 min

MATÉRIEL
6 tasses • Casseroles • Râpe • Fouet à main

INGRÉDIENTS
2 cm de racine de gingembre • Le zeste de ¼ d'orange • 1 bâton de cannelle • 1 bâton de chocolat créole ou 150 g de chocolat noir • 2 cuil. à soupe de cacao en poudre • 2 pincées de noix muscade râpée

1. Lavez bien la racine de gingembre et coupez-la en 3 ou 4 morceaux. Brossez l'orange sous l'eau courante et récupérez un quart de son zeste.

2. Dans une casserole, mettez 1 litre d'eau à bouillir 5 min avec le zeste d'orange, le gingembre et le bâton de cannelle ; laissez infuser 15 min.

3. Râpez le chocolat et mettez-le à fondre doucement dans une casserole avec 20 cl de cette eau parfumée. Vous pouvez vous aider d'un fouet. Lorsque le chocolat a bien fondu, ajoutez le cacao en poudre, fouettez pour bien mélanger. Ajoutez le reste d'eau avec le zeste d'orange et le bâton de cannelle ainsi que la noix muscade râpée.

4. Poursuivez la cuisson du chocolat à petits frémissements pendant encore 5 min. Servez chaud dans des tasses. Chacun sucrera la boisson à sa convenance.

CONSEIL
C'est le « chololo » bien parfumé des Antillais, que l'on prépare traditionnellement sans lait.

VARIANTE
Pour varier les plaisirs, vous pouvez boire ce chocolat épicé au lait : gardez les mêmes proportions et ajoutez une boîte de lait concentré sucré..

PUNCHS AU GINGEMBRE

 POUR 1,5 l | **PRÉPARATION** **10 min** | **MACÉRATION** **3 semaines**

MATÉRIEL
1 bocal de 1,5 litre

INGRÉDIENTS

200 g de sucre • 2 gousses de vanille • 1 citron vert • 250 g de racines de gingembre • 1 litre de rhum blanc

1. Mettez le sucre dans le bocal. Fendez les gousses de vanille en deux sur toute leur longueur, grattez-les et mettez les graines et les gousses fendues dans le bocal. Ajoutez le citron vert coupé en tranches et les racines de gingembre émincées en lamelles. Couvrez le tout de rhum, fermez hermétiquement et laissez macérer durant 3 semaines au minimum.

PUNCHS À L'ANANAS

 POUR 1,5 l | **PRÉPARATION** **15 min** | **MACÉRATION** **2 ou 3 semaines**

INGRÉDIENTS

1 ananas de 1 kg • 100 g de sucre • 1 litre de rhum blanc

1. Lavez l'ananas et séchez-le bien. Tranchez d'abord les 2 extrémités du fruit. Faites une incision d'environ 1 cm sur toute la longueur du fruit. Glissez le couteau dans l'incision et faites-le aller et venir sous la peau en gardant la même épaisseur et tout en faisant tourner l'ananas de l'autre main. Vous emporterez ainsi, dans le même temps, la peau et les « yeux » de l'ananas. Détaillez la chair en jolis cubes, en gardant le cœur de l'ananas.

2. Mettez le sucre dans un bocal ; ajoutez le rhum et les cubes d'ananas. Fermez hermétiquement le bocal. Laissez macérer le punch pendant 2 ou 3 semaines. En fait, lorsque le sucre sera complètement dissous, le punch sera prêt à être dégusté.

TI-PUNCH

 1 verre | **PRÉPARATION** **5 min**

INGRÉDIENTS

1 quartier de citron vert • 1 cuil. à café de sucre de canne • Rhum blanc

1. Écrasez bien le quartier de citron et le sucre dans un verre à l'aide d'une petite cuillère pour en exprimer tout le jus et tout le zeste.

2. Ajoutez une petite rasade de rhum. Buvez cul sec !

SMOOTHIE DE PAPAYE & MANGUES

POUR 1,5 l · **PRÉPARATION 10 min** | **MATÉRIEL** Mixeur

INGRÉDIENTS

600 g de mangues • 300 g de papaye • 3 cm de racine gingembre • 1 citron vert • 50 cl de jus d'ananas • 20 cl de lait de coco

1. Pelez les mangues et les morceaux de papaye. Récupérez toute la chair autour des mangues et éliminez toutes les graines de papaye. Taillez le gingembre en petits dés. Prélevez la moitié du zeste du citron vert.

2. Coupez les fruits en gros dés et mettez le tout dans le bol du mixeur avec le jus d'ananas, le lait de coco, le gingembre et le zeste de citron. Mixez le tout jusqu'à ce que vous obteniez une purée bien lisse.

CONSEIL

Il arrive parfois que les mangues, même excellentes, soient très légèrement fibreuses ; aussi, passez le mélange au chinois pour que le smoothie soit bien velouté et agréable à déguster.

MILK-SHAKE À LA BANANE

4 · **PRÉPARATION 5 min** | **MATÉRIEL** 4 grands verres • Mixeur

INGRÉDIENTS

2 bananes • 75 cl de lait • 4 boules de glace à la banane

1. Pelez les bananes, coupez-les en morceaux et mettez-les dans le bol du mixeur avec le lait. Mixez jusqu'à l'obtention d'un mélange homogène.

2. Ajoutez les boules de glace dans le robot et mixez rapidement, juste pour broyer la glace. Servez sans attendre dans de grands verres.

MESURES ET ÉQUIVALENCES

MESURER LES INGRÉDIENTS

INGRÉDIENTS	1 CUIL. À CAFÉ	1 CUIL. À SOUPE	1 VERRE À MOUTARDE
Beurre	7 g	20 g	-
Cacao en poudre	5 g	10 g	90 g
Crème épaisse	1,5 cl	4 cl	20 cl
Crème liquide	0,7 cl	2 cl	20 cl
Farine	3 g	10 g	100 g
Liquides divers (eau, huile, vinaigre, alcools)	0,7 cl	2 cl	20 cl
Maïzena®	3 g	10 g	100 g
Poudre d'amandes	6 g	15 g	75 g
Raisins secs	8 g	30 g	110 g
Riz	7 g	20 g	150 g
Sel	5 g	15 g	-
Semoule, couscous	5 g	15 g	150 g
Sucre en poudre	5 g	15 g	150 g
Sucre glace	3 g	10 g	110 g

MESURER LES LIQUIDES

1 verre à liqueur	= 3 cl
1 tasse à café	= 8 à 10 cl
1 verre à moutarde	= 20 cl
1 mug	= 25 cl

POUR INFO

1 œuf	= 50 g
1 noisette de beurre	= 5 g
1 noix de beurre	= 15 à 20 g

RÉGLER SON FOUR

TEMPÉRATURE (°C)	THERMOSTAT
30	1
60	2
90	3
120	4
150	5
180	6
210	7
240	8
270	9

TABLE DES RECETTES

DANS LA MÊME COLLECTION

FAIT MAISON D'AILLEURS

FAIT MAISON
D'AILLEURS

Amérique du Sud

Asie

Cuisine créole

Enfants : mon premier livre de cuisine,
   recettes du monde

Espagne

États-Unis

Grèce

Inde

Italie

Japon

Maroc

Thaïlande

Vietnam

FAIT MAISON
FRANCE

Bretagne

Provence

Recettes ch'tis

FAIT MAISON
BON & SAIN

Anticholestérol

Anti-oxydants

Cuisiner sans gluten

Détox

Graines, céréales et légumineuses

IG bas

Pains et pâtisseries sans gluten

Plats uniques Veggie

Recettes Anticholestérol

Sans gluten

Sans lactose

Soupes Green & Detox

Vegan

Végétarien

65 recettes fastoches et gourmandes
pour les cuisiniers en herbe
élaborées avec

♥

ENFANTS

MON PREMIER LIVRE
DE CUISINE

THOMAS
FELLER

hachette

70 recettes gourmandes
venues de l'Est élaborées avec

♥

ALSACE

EVA
HARLÉ
hachette

70 recettes gourmandes
et parfumées élaborées avec

♥

INDE

65 recettes fastoches et gourmandes
pour les beaux jours
élaborées avec

♥

BARBECUE

LOÏC
HANNO
hachette

60 recettes fastoches,
gourmandes et vegan
élaborées avec amour.

♥

VEGAN

KAREN
CHEVALLIER

hachette
CUISINE

60 recettes chargées de souvenirs et élaborées
avec amour à déguster en famille.

♥

GÂTEAUX
DE MAMAN

AURÉLIE
DESGAGES

hachette
CUISINE

60 recettes fastoches et gourmandes
pour rafraîchir votre été
élaborées avec amour.

♥

GLACES
& SORBETS

ÉVA
HARLÉ

hachette
CUISINE

65 recettes variées, colorées
et pleines de goût
pour manger plus léger.

♥

LIGHT

Pour l'éditeur, le principe est d'utiliser des papiers composés de fibres naturelles, renouvelables, recyclables et fabriqués
à partir de bois issus de forêts qui adoptent un système d'aménagement durable. En outre, l'éditeur attend de ses fournisseurs
de papier qu'ils s'inscrivent dans une démarche de certification environnementale reconnue.

Direction : Catherine Saunier-Talec
Responsable éditoriale : Lisa Grall
Responsable de projet : Jeanne Mauboussin
Responsable artistique : Cecilia Rehbinder
Réalisation intérieure : Les Paoistes
Fabrication : Amélie Latsch
Responsable partenariats : Dana Lichiardopol (dlichiardopol@hachette-livre.fr)

Dépôt legal : août 2021
48-2909-8
ISBN : 978-2-01-627970-0
Impression : Rotolito S.p.A., Italie

Retrouvez-nous
sur Facebook :
facebook.com/hachette cuisine

PAPIER À BASE DE
FIBRES CERTIFIÉES

hachette PRATIQUE s'engage pour
l'environnement en réduisant
l'empreinte carbone de ses livres.
Celle de cet exemplaire est de :
1,6 kg éq. CO$_2$
Rendez-vous sur
www.hachette-durable.fr